Tout pour écrire...

# Avec cohérence

## Cahier de rédaction

- notions
- exercices

Éléonore Antoniadès

Natalie Belzile

LES ÉDITIONS
**CEC**
Une compagnie de Quebecor Media

9001, boul. Louis-H.-La Fontaine, Anjou (Québec) Canada  H1J 2C5
Téléphone : 514-351-6010 • Télécopieur : 514-351-3534

**Direction de l'édition**
Isabelle Marquis

**Direction de la production**
Danielle Latendresse

**Direction de la coordination**
Sylvie Richard

**Charge de projet**
Daniel Marchand

**Révision linguistique**
Suzanne Delisle

**Révision scientifique**
Denise Sabourin

**Correction d'épreuves**
Jacinthe Caron

**Conception et réalisation**
Dessine-moi un mouton

*Tout pour écrire... Avec cohérence*
© 2006, Les Éditions CEC inc.
9001, boul. Louis-H.-La Fontaine
Anjou (Québec) H1J 2C5

Dépôt légal : 2006
Bibliothèque et Archives nationales du Québec
Bibliothèque et Archives du Canada

ISBN 978-2-7617-2399-2

Imprimé au Canada
6   7   8   9   10        24  23   22  21   20

Grâce aux diverses stratégies proposées dans ce cahier de rédaction, écrire devient un exercice agréable, à la portée de tous les étudiants. Ceux-ci prendront plaisir à lire un texte en profondeur et à s'exprimer sur ce texte, en donnant libre cours à leur imagination et en mettant à profit leurs connaissances en français écrit. La méthode présentée prépare graduellement les étudiants à rédiger des textes bien construits, cohérents et intéressants. La capacité de rédiger de bons paragraphes n'est-elle pas le secret de toute rédaction réussie ?

## L'orientation générale de *Tout pour écrire... Avec cohérence*

Pour parvenir à rédiger un texte de 500 mots à partir d'un sujet donné, ce cahier propose une démarche en cinq temps : comprendre un texte, le résumer, répondre à une question de compréhension, rédiger un paragraphe et, finalement, rédiger un texte de trois paragraphes. Chacun des éléments théoriques et pratiques de la démarche est divisé en étapes, lesquelles incluent des activités ou des techniques pour faciliter la compréhension. L'approche est simple, méthodique et graduelle.

## L'organisation des chapitres

Chaque chapitre commence par un texte littéraire sur lequel s'appuient la théorie et les exercices. Chaque notion étudiée est accompagnée d'exemples et d'exercices. Parfois, des capsules de grammaire du texte enrichissent le contenu pour aider le rédacteur en lui rappelant des notions essentielles sur le contexte d'énonciation, l'unité du sujet, les organisateurs textuels, la reprise et la progression de l'information. Le chapitre se termine par des exercices de vocabulaire et de style, des outils précieux pour tout rédacteur averti.

### Ce cahier présente les caractéristiques suivantes :
- des textes littéraires accessibles et variés ;
- une démarche progressive de lecture et d'écriture ;
- une foule de stratégies et d'astuces ;
- des exercices de rédaction dont la difficulté est graduelle ;
- une grille d'autoévaluation et de correction.

LÉGENDE

Ampoule R
Un rappel

Ampoule S
Une suggestion

G (début)
Début de la rubrique
Grammaire du texte

G (fin)
Fin de la rubrique
Grammaire du texte

# TABLE DES MATIÈRES

# COMPRENDRE UN TEXTE    CHAPITRE 1

Ce cahier propose des stratégies pour produire, à partir d'extraits littéraires ou courants, un texte cohérent et structuré sur un sujet bien défini. Pour écrire un texte bien structuré, il faut construire des paragraphes où les phrases s'enchaînent logiquement. Il faut aussi respecter les règles de la syntaxe et utiliser un vocabulaire précis et varié.

Avant de construire un paragraphe, vous devez lire le texte proposé. En faisant une lecture méthodique et efficace (comprendre le vocabulaire, dégager les idées essentielles, étudier le contexte de l'énonciation, etc.), vous atteindrez le premier objectif : comprendre le texte.

## ⊚ TEXTE À L'ÉTUDE ⊚

**Titre de l'œuvre**

Le texte qui suit est un extrait du conte « Un monde chaotique » tiré du recueil *Contes et Légendes de la mythologie grecque.* Ce recueil présente le destin de dieux et de héros dans un cadre surnaturel ou merveilleux. L'auteure, Claude Pouzadoux, est née en 1965 à Saint-Mandé, en France. L'étude du grec et du latin l'a amenée à raconter les palpitantes histoires de la mythologie et à s'intéresser au théâtre. Elle s'attache particulièrement à l'adaptation de pièces de l'Antiquité, comme *Les Bacchantes* d'Euripide ou *L'Assemblée des femmes* d'Aristophane, qu'elle met en scène dans son atelier.

**Information sur l'auteure**

**Titre de l'extrait**  | **Voir notes de bas de page** |

### Prométhée[1] et les premiers hommes     ▶ Annotations

Les dieux créèrent ensuite les êtres vivants en les façonnant avec de la terre glaise. Sans s'en rendre compte, ils avantagèrent les animaux aux dépens des humains.

5 Les premiers, en effet, reçurent les qualités physiques qui leur permettaient de s'adapter parfaitement au milieu naturel. Les uns, comme les ours, obtinrent la force; d'autres, plus petits, comme les oiseaux, eurent des ailes pour s'enfuir. Le partage paraissait <u>équitable</u> et les qualités s'équilibraient entre les diverses espèces. L'une d'elles, cependant, avait été oubliée : 10 l'espèce humaine. Avec leur seule peau, les hommes ne pouvaient supporter le froid et leurs bras nus n'étaient pas assez

_____

*Les notes de bas de page 1, 2 et 3 ont été ajoutées par les auteurs de ce cahier à des fins pédagogiques ; elles ne font pas partie du texte original.*

1. Prométhée : géant dont Zeus redoutait la puissance.

**Note de bas de page**

robustes pour combattre les bêtes sauvages. La race humaine était menacée de disparition...

À ce spectacle, Prométhée, le fils du Titan Japet², se prit de
15 pitié pour les faibles <u>mortels</u>. Il savait que leur intelligence leur permettrait de se fabriquer des armes et de se construire des abris s'ils en avaient les moyens, mais pour cela il leur manquait un élément essentiel : le feu. Grâce à lui, ils pourraient durcir les pointes de leurs lances, afin de les rendre plus
20 <u>résistantes</u>, et se réchauffer dans leur <u>foyer</u>.

Or, les dieux conservaient jalousement la précieuse flamme. Prométhée dut se faufiler discrètement dans la <u>forge</u> d'Héphaïstos, le dieu du feu, pour dérober la <u>lueur</u> qu'il porta chez les hommes en la dissimulant dans le creux d'une racine.

25 Ce vol ne fut pas longtemps ignoré de Zeus³. Dès qu'il aperçut l'éclat d'une flamme chez les mortels, le puissant souverain laissa éclater sa colère. Il fit aussitôt le <u>serment</u> de se venger des hommes et de leur <u>bienfaiteur</u>, Prométhée.

Répondant à une ruse par une autre, il eut l'idée de fabriquer
30 une créature d'un charme irrésistible qui causerait le malheur des humains. Ainsi conçut-il avec de l'argile la première femme, qu'il appela Pandora. Il bénéficia de l'aide d'Héphaïstos qui la para des bijoux les plus délicats, et de celle d'Athéna qui la vêtit d'un léger voile retenu, à la taille, par une ceinture
35 artistement ouvragée.

Quand elle fut prête, Zeus l'envoya chez Épiméthée, le propre frère de Prométhée. Il connaissait sa naïveté et son imprudence. Ne pouvant résister à l'attrait d'une si belle personne, Épiméthée oublia que son frère l'avait mis en garde contre les
40 présents de Zeus. Il l'accueillit dans sa maison et l'y installa.

Pandora avait apporté avec elle une boîte qu'elle ne devait ouvrir sous aucun prétexte. Zeus le lui avait expressément recommandé en la lui donnant. C'était encore une ruse, car il savait bien que la jeune femme essaierait d'en connaître un
45 jour le contenu.

Poussée par la curiosité, elle finit pas ouvrir le coffret... Aussitôt, un vent de malheurs en sortit précipitamment! Effrayée, Pandora vit passer le visage grimaçant de la cruauté et le sourire malin de la tromperie. Elle entendit hurler les
50 plaintes des miséreux et des souffrants. D'autres malheurs commençaient ainsi à se répandre dans le vaste monde. Quand elle découvrit sa tragique erreur, Pandora referma rapidement

---

2. Titan Japet : l'une des 12 divinités qui gouvernaient le monde avant Zeus qui finit par les vaincre ; les titans étaient des géants.
3. Zeus : dieu suprême, maître des dieux. Il faisait régner l'ordre et la justice sur la Terre.

le couvercle. Seulement, l'Espoir et toutes les promesses de bonheur pour les hommes restèrent à jamais enfermés dans la boîte.

55     Rien n'était dû au hasard et la première étape de la redoutable vengeance de Zeus venait de se réaliser.

    Le deuxième châtiment, plus cruel, allait frapper Prométhée.
À l'aide de liens inextricables[4] qui lui entravaient doulou-
reusement les bras et les jambes, Zeus le fit attacher à un
60 rocher. Ainsi exposé, sans pouvoir se défendre, Prométhée
subissait chaque jour les assauts d'un aigle qui venait lui
dévorer le foie. Et chaque jour, pour son supplice, son foie se
reformait. En échange d'un bienfait Prométhée reçut donc un
terrible châtiment.

65     Quant aux hommes, ils apprirent malgré eux qu'un bien
pouvait être accompagné d'un malheur.

Claude Pouzadoux et Frédérick Mansot, *Contes et Légendes*
*de la mythologie grecque*, © Éditions France Loisirs, 2000.

_____

4. Inextricable, *adj.* : qu'on ne peut démêler, dénouer.

# L'ABC DE LA LECTURE EFFICACE OU COMMENT BIEN LIRE UN TEXTE

Une lecture méthodique comprend trois étapes : le survol, la lecture attentive et la lecture approfondie.

Étudiez l'extrait intitulé « Prométhée et les premiers hommes » en faisant
les activités qui se rattachent à chacune des trois étapes de lecture décrites
ci-après. Notez que certaines activités sont illustrées dans le texte.

## 1re étape : Le survol

Le survol est la découverte du texte. C'est une lecture rapide qui permet d'en
dégager une impression générale, de se faire une idée du contenu et de se
familiariser avec le vocabulaire. Cette étape est importante pour se préparer
à la lecture attentive du texte. Cette forme de lecture est souvent utilisée
pour prendre rapidement connaissance d'un texte.

Attention ! Les trois activités proposées ci-dessous portent sur les cinq premiers
paragraphes (lignes 1 à 28). Elles seront reprises plus tard pour le reste du texte.

### `1re activité` Vue d'ensemble

Jetez un premier coup d'œil sur le texte pour repérer les éléments suivants :
titre, sous-titres, illustrations, définitions données dans la marge, notes de
bas de page, information sur l'auteure ou sur le texte, date de publication.
Ces renseignements peuvent guider la lecture, mais ils ne sont pas toujours fournis.

### `2e activité` Repérage des mots difficiles

Lisez le texte crayon en main et encerclez ou marquez d'un signe les mots
que vous ne connaissez pas ou qui vous semblent employés dans un sens
inhabituel.

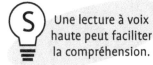

Une lecture à voix
haute peut faciliter
la compréhension.

**3ᵉ activité** **Étude des mots repérés**

Cherchez dans le dictionnaire le sens des mots difficiles, c'est-à-dire ceux qui empêchent la progression de la lecture. Certains mots peuvent avoir un sens différent, selon le contexte. Voyez l'exemple du mot *mortel* présenté dans l'encadré ci-dessous.

Parfois, les mots peu connus sont définis dans la marge ou au bas de la page. Dans l'extrait « Prométhée et les premiers hommes », les notes de bas de page 1, 2 et 3 définissent les personnages mythologiques mentionnés : Prométhée, Titan Japet et Zeus.

---

**EXEMPLE**

Voici le sens de quelques mots difficiles repérés dans le texte :
- *Équitable* a le sens de *juste*.
- *Résistantes* signifie *solides, fortes*.
- *Mortels* est un nom qui désigne les êtres humains, tous condamnés à mourir un jour.

L'encadré ci-dessous présente un article de dictionnaire sur le mot *mortel*. On y trouve plusieurs définitions. C'est au lecteur de déterminer laquelle est appropriée dans le contexte.

> **mortel, elle** adj. et n.
> I. adj.
> 1. Sujet à la mort. *Tous les êtres humains sont mortels.* EXPR. *La dépouille mortelle de qqn, son cadavre.*
> 2. Qui cause ou qui peut causer la mort. *Sa blessure n'est pas mortelle.* EXPR. *Ennemi mortel d'une personne* : ennemi qui souhaite sa mort, ennemi implacable.
> 3. *Péché mortel*, qui donne la mort à l'âme en lui ôtant la grâce sanctifiante.
> 4. Excessivement ennuyeux. *Quand finira cette attente mortelle ?*
> II. n. Être humain. *Les dieux de la mythologie épousaient parfois des mortelles.* SYN. personne. EXPR. *Le commun des mortels* : les humains en général.

**NOTE**

Dans le 4ᵉ paragraphe, un groupe de mots placé entre virgules donne une information sur Héphaïstos : dieu du feu. Ce groupe explicatif vous évite de faire une recherche, puisqu'il vous révèle qu'Héphaïstos est le dieu du feu.

---

### EXERCICE

1. À l'aide du dictionnaire, indiquez le sens des mots suivants dans le texte « Prométhée et les premiers hommes » :

foyer (ligne 20) : _____

_____

forge (ligne 22) : _____

_____

lueur (ligne 23) : _____

_____

serment (ligne 27) : _____

_____

bienfaiteur (ligne 28) : _____

_____

## 4ᵉ activité  Étude du contexte de l'énonciation

Pour bien cerner un texte, il est nécessaire de connaître le contexte de l'énonciation, c'est-à-dire situer le texte par rapport au temps et au lieu de la communication, et connaître l'émetteur et le récepteur du message. Ainsi on se pose les questions suivantes :

- **Où l'action se déroule-t-elle?** Pour répondre à cette question, il faut repérer les marqueurs de lieu.
- **Quand se déroule-t-elle?** Pour répondre à cette question, il faut repérer les marqueurs de temps et le temps des verbes.
- **Qui est le narrateur?** (celui ou celle qui raconte l'histoire)
- **À qui le narrateur s'adresse-t-il?**

Pour répondre à ces questions, il faut identifier les interlocuteurs.

### EXEMPLE

Voici les réponses à ces questions au regard du texte « Prométhée et les premiers hommes » :

- L'action se déroule dans le monde mythologique (les dieux, les pouvoirs extraordinaires) et sur la Terre (le monde des humains, les malheurs).
- L'action se déroule au début de la création des hommes, selon la mythologie grecque. L'emploi du passé simple montre que l'action a déjà eu lieu.
- Le narrateur est inconnu. Il raconte l'histoire sans être l'un des participants.
- Le narrateur ne s'adresse à aucun lecteur en particulier.

Comprendre un texte  **5**

### 5ᵉ activité  Repérage de l'idée directrice

Il est important de saisir rapidement l'idée directrice du texte, c'est-à-dire son propos. Lorsqu'on sait de quoi parle le texte, il est plus facile d'entreprendre l'étape de la lecture attentive. Habituellement, un groupe du nom ou une phrase suffit à formuler l'idée directrice.

Parfois, l'idée directrice est exprimée dans le titre du texte. Si ce n'est pas le cas, le repérage de certains éléments (illustrations, mots en gras, notes dans la marge ou au bas de la page, etc.) vous aidera à cerner rapidement cette idée.

> **NOTE**
>
> *Fil conducteur* et *idée maîtresse* sont synonymes d'*idée directrice*.

**EXEMPLE**

L'idée directrice du texte « Prométhée et les premiers hommes » peut être formulée ainsi : *Prométhée, le sauveur puni* ou encore *Prométhée s'est sacrifié pour aider les premiers hommes*.

## 2ᵉ étape : La lecture attentive

Pour bien comprendre un texte, il faut faire une lecture attentive. Cette forme de lecture permet :

- de développer l'esprit d'analyse ;
- de sélectionner les éléments d'information contenus dans le texte ;
- de noter dans la marge les mots ou les expressions clés et les réflexions qu'ils suscitent ;
- d'ordonner les éléments d'information selon leur degré d'importance ;
- de reconstituer le plan du texte.

La lecture attentive vous permettra de résumer un texte (chapitre 2).

### 1ʳᵉ activité  Surligner les mots et les expressions clés

Les mots et les expressions clés expriment les idées importantes du texte ; ce sont des mots ou des groupes de mots essentiels à la compréhension du texte.

Le repérage des mots et des expressions clés vous aidera à comprendre le récit et, par la suite, à le résumer.

Les mots et les expressions clés des trois premiers paragraphes du texte « Prométhée et les premiers hommes » sont surlignés dans l'encadré à la page suivante :

## EXEMPLE

Les dieux créèrent ensuite les êtres vivants en les façonnant avec de la terre glaise. Sans s'en rendre compte, ils avantagèrent les animaux aux dépens des humains.

5 Les premiers, en effet, reçurent les qualités physiques qui leur permettaient de s'adapter parfaitement au milieu naturel. Les uns, comme les ours, obtinrent la force ; d'autres, plus petits, comme les oiseaux, eurent des ailes pour s'enfuir. Le partage paraissait équitable et les qualités s'équilibraient entre les diverses espèces. L'une d'elles, cependant, avait été oubliée :
10 l'espèce humaine. Avec leur seule peau, les hommes ne pouvaient supporter le froid et leurs bras nus n'étaient pas assez robustes pour combattre les bêtes sauvages. La race humaine était menacée de disparition...

À ce spectacle, Prométhée, le fils du Titan Japet, se prit de
15 pitié pour les faibles mortels. Il savait que leur intelligence leur permettrait de se fabriquer des armes et de se construire des abris s'ils en avaient les moyens, mais pour cela il leur manquait un élément essentiel : le feu. Grâce à lui, ils pourraient durcir les pointes de leurs lances, afin de les rendre plus
20 résistantes, et se réchauffer dans leur foyer.

## EXERCICE

**2.** Surlignez les mots et les expressions clés dans le texte « Prométhée et les premiers hommes » de la ligne 21 à la ligne 28.

### 2e activité  Annoter les mots et les expressions surlignés

L'annotation consiste à ajouter des notes et des commentaires sur un texte. C'est un moyen efficace pour bien comprendre un texte. Vos notes vous seront utiles ultérieurement pour rédiger un résumé et un paragraphe sur un sujet donné.

## EXERCICE

**3.** Annotez le texte en fonction des éléments déjà surlignés.

Dans l'espace prévu à cette fin (page 2), annotez les éléments que vous avez surlignés. Autrement dit, expliquez dans vos propres mots ce que ces éléments signifient dans le texte ou ce que vous pouvez en déduire. Au besoin, ajoutez des questions ou des commentaires personnels qui favoriseront la compréhension.

Si vous avez trouvé d'autres mots difficiles à cette étape, cherchez leur signification dans le dictionnaire.

---

**EXEMPLE**

Les annotations des deux premiers paragraphes du texte « Prométhée et les premiers hommes » sont présentées ci-dessous :

Annotations

*origine des hommes* _____

_____

_____

*hommes défavorisés par rapport aux animaux* _____

_____

_____

_____

_____

*survie incertaine de l'homme* _____

Mots et expressions clés surlignés

Les dieux créèrent ensuite les êtres vivants en les façonnant avec de la terre glaise. Sans s'en rendre compte, ils avantagèrent les animaux aux dépens des humains.

Les premiers, en effet, reçurent les qualités physiques qui
5  leur permettaient de s'adapter parfaitement au milieu naturel. Les uns, comme les ours, obtinrent la force; d'autres, plus petits, comme les oiseaux, eurent des ailes pour s'enfuir. Le partage paraissait équitable et les qualités s'équilibraient entre les diverses espèces. L'une d'elles, cependant, avait été oubliée :
10 l'espèce humaine. Avec leur seule peau, les hommes ne pouvaient supporter le froid et leurs bras nus n'étaient pas assez robustes pour combattre les bêtes sauvages. La race humaine était menacée de disparition...

---

## 3ᵉ étape : La lecture approfondie

La lecture approfondie s'impose lorsqu'on cherche des éléments de contenu pour répondre à une question de compréhension. Elle consiste à relire des passages pour en comprendre toutes les subtilités et cibler les points pertinents qui, ultérieurement, permettront de rédiger des réponses. Cette troisième étape de la lecture sera expliquée en détail dans le 3ᵉ chapitre.

## EXERCICES RÉCAPITULATIFS

1. **Survol et lecture attentive**

   **a)** Faites un survol du texte « Prométhée et les premiers hommes » en commençant au 6ᵉ paragraphe (ligne 29). Concentrez-vous sur les trois premières activités qui se rattachent au survol, soit :
   - la vue d'ensemble ;
   - le repérage des mots difficiles ;
   - l'étude des mots repérés, par exemple *châtiment, entravaient, assauts* et *supplice.*

   **b)** En commençant encore au 6ᵉ paragraphe, faites une lecture attentive du texte en surlignant les mots et les expressions clés, puis annotez le texte dans la marge.

## 2. Contexte de l'énonciation

Afin de comprendre le contexte d'énonciation de l'extrait « Colères d'enfant », tiré du roman *Mémoires d'une jeune fille rangée* de Simone de Beauvoir, lisez le texte et répondez aux questions ci-dessous.

### Colères d'enfant

Protégée, choyée, amusée par l'incessante nouveauté des choses, j'étais une petite fille très gaie. Pourtant, quelque chose clochait puisque des crises furieuses me jetaient sur le sol, violette et convulsée. J'ai trois ans et demi, nous déjeunons sur la terrasse ensoleillée d'un
5    grand hôtel — c'était à Divonne-les-Bains[1]; on me donne une prune rouge et je commence à la peler. « Non », dit maman; et je tombe en hurlant sur le ciment. Je hurle tout au long du boulevard Raspail parce que Louise m'a arrachée du square Boucicaut où je faisais des pâtés. Dans ces moments-là, ni le regard orageux de maman, ni la voix sévère
10   de Louise, ni les interventions extraordinaires de papa ne m'attei-gnaient. Je hurlais si fort, pendant si longtemps, qu'au Luxembourg[2] on me prit quelquefois pour une enfant martyre. « Pauvre petite ! » dit une dame en me tendant un bonbon. Je la remerciai d'un coup de pied. Cet épisode fit grand bruit; une tante obèse et moustachue, qui maniait la
15   plume, le raconta dans *La Poupée modèle*.

Simone de Beauvoir, *Mémoires d'une jeune fille rangée* (1958),
© Éditions Gallimard, 1972.

**a)** Où l'action se déroule-t-elle?

_____

_____

_____

_____

**b)** Quand l'action se déroule-t-elle?

_____

_____

_____

_____

**c)** Qui est le narrateur?

_____

_____

**d)** À qui le narrateur s'adresse-t-il?

_____

_____

---

1. Divonne-les-Bains : station thermale (eaux minérales chaudes) près de la frontière suisse.
2. Luxembourg : grand jardin public à Paris.

# ENRICHIR LE VOCABULAIRE

Le français est une langue riche dotée d'un vocabulaire précis et nuancé. C'est pourquoi il faut éviter les mots « passe-partout », tels que *être, se trouver, il y a, avoir, faire, mettre, dire, voir, chose, hommes, gens* et *personne.* Il faut apprendre à utiliser le terme juste qui embellit le style et précise l'expression de la pensée. À la fin de chaque chapitre, des exercices de vocabulaire vous sont proposés.

1. **Dans les phrases suivantes, remplacez les expressions *il y a* ou *se trouve* par un verbe plus précis.**

> **EXEMPLE**
>
> Au pied de la montagne ⎡ ***il y a*** *une source claire.*
> ⎣ ***se trouve*** *une source claire.*
>
> *Au pied de la montagne* ***jaillit*** *une source claire.*

**a)** Sur les branches fleuries [*il y a, se trouve*] un merle.

_____

**b)** Sur cette clôture [*il y a, se trouve*] une vigne sauvage.

_____

**c)** Dans l'immense salle à manger [*il y a, se trouve*] une faible clarté.

_____

**d)** Autour de ces combattants [*il y a, se trouve*] un adversaire invisible.

_____

**e)** Dans ce froid sibérien [*il y a, se trouvent*] des sans-abri affamés.

_____

**f)** Dans ces régions éloignées du Québec [*il y a, se trouvent*] des vents violents.

_____

2. **Dans les phrases suivantes, remplacez le verbe *avoir* par un verbe plus précis.**

> **EXEMPLE**
>
> *Le gouvernement du pays* ***a*** *une politique conservatrice.*
>
> *Le gouvernement du pays* ***applique*** *une politique conservatrice.*

**a)** Ces jeunes gens [*ont*] des projets très ambitieux.

_____

**b)** Cet élève n'[*a*] pas beaucoup de difficulté en rédaction.

_____

**c)** Voilà plusieurs années que ce dictateur [*a*] le pouvoir.

_____

**d)** Ce parti politique [*a*] de nouveaux adhérents.

_____

**e)** Cette jeune fille [*a*] une influence néfaste sur ses amies.

_____

**f)** Pour ces commerçants, cette transaction [*a*] de grands avantages.

_____

**3. Dans les phrases suivantes, remplacez les mots soulignés par un synonyme, puis par un antonyme (mot de sens contraire).**

**a)** Le fils du Titan Japet éprouve de la <u>pitié</u> pour les <u>faibles</u> mortels.

| Synonyme | pitié : | _____ |
| | faibles : | _____ |
| Antonyme | pitié : | _____ |
| | faibles : | _____ |

**b)** Ils pourraient <u>durcir</u> les pointes de leur lance.

| Synonyme | durcir : | _____ |
| Antonyme | durcir : | _____ |

**c)** Zeus fit aussitôt le serment de se venger des hommes
et de leur <u>bienfaiteur</u>.

| Synonyme | bienfaiteur : | _____ |
| Antonyme | bienfaiteur : | _____ |

**d)** Zeus eut l'idée de fabriquer une créature <u>séduisante</u> qui causerait
le <u>malheur</u> des humains.

| Synonyme | séduisante : | _____ |
| | malheur : | _____ |
| Antonyme | séduisante : | _____ |
| | malheur : | _____ |

**e)** Il la para des bijoux les plus <u>délicats</u>.

Synonyme   délicats : _____

Antonyme   délicats : _____

**f)** Zeus connaissait la <u>naïveté</u> et l'<u>imprudence</u> du frère de Prométhée.

Synonyme   naïveté : _____

imprudence : _____

Antonyme   naïveté : _____

imprudence : _____

**g)** D'autres <u>malheurs</u> commençaient à se répandre dans le <u>vaste</u> monde.

Synonyme   malheurs : _____

vaste : _____

Antonyme   malheurs : _____

vaste : _____

**h)** La première étape de la <u>redoutable</u> vengeance de Zeus venait de <u>se réaliser</u>.

Synonyme   redoutable : _____

se réaliser : _____

Antonyme   redoutable : _____

se réaliser : _____

# RÉSUMER UN TEXTE  CHAPITRE 2

Pour arriver à composer le résumé d'un texte selon les règles de l'art, il faut analyser le texte et en dégager les principaux éléments. Résumer est un exercice de synthèse qui consiste à reformuler les idées essentielles en respectant le contenu et l'enchaînement des idées.

Peu importe le domaine d'études ou de travail que vous choisirez, vous devrez un jour ou l'autre résumer un texte, une situation, un événement ou une réunion. Dans ce chapitre, vous découvrirez deux techniques pour écrire un résumé ainsi que des notions qui assurent la cohérence de tout discours écrit.

## ◉ TEXTE À L'ÉTUDE ◉

Jean Hamelin (1920-1970) est né à Montréal. En 1943, il devient rédacteur à *La Presse,* puis critique littéraire et directeur des pages littéraires. En 1964, il est attaché culturel à la délégation générale du gouvernement du Québec à Paris. Il a écrit deux romans, *Les Occasions profitables* (1961) et *Un Dos pour la pluie* (1967), deux ouvrages sur le théâtre, *Le Renouveau du théâtre au Canada français* (1961) et *Le Théâtre au Canada français* (1964) et un recueil, *Nouvelles singulières* (1964), d'où est tiré « Le petit homme ».

### Le petit homme

▷ Annotations

Lorsque, à sept heures quarante-neuf ou sept heures cinquante, selon les jours, le train allait s'immobiliser devant le quai pour faire son plein habituel de voyageurs, juste au moment où la foule retenait mal un cri, car on avait tou-
5 jours l'impression que le bolide de fer et d'acier allait engouffrer le petit homme, celui-ci, qui semblait jusqu'alors voler, délibérément quoique avec une indifférence incroyable, vers une mort assurée, sautait prestement de côté sur le quai où on lui ménageait toujours une petite place car on savait qu'il
10 sauterait uniformément au même endroit.

Le chef de train avait beau agiter sa cloche d'alarme, le petit homme n'y prenait point garde. Il semblait absolument inconscient du danger qu'il courait ainsi chaque matin et de l'état d'angoisse qui, à son sujet, s'emparait de la foule qui suivait
15 son manège. Comme si de rien n'était, gardant toujours la tête basse, ne parlant à personne, le petit homme tirait alors de sa poche un journal précautionneusement replié et lisait la manchette. Il avait si bien mesuré ses distances que neuf fois sur dix il sautait de manière à se trouver devant la première

20 portière ouverte. Il s'engouffrait aussitôt dans le train où l'on avait tôt fait de le perdre de vue. La seconde d'angoisse dénouée, la minute d'anxiété écoulée, on pensait à autre chose et le petit homme était oublié jusqu'au lendemain matin, à sept heures quarante-neuf ou sept heures cinquante, selon les
25 jours et les humeurs du chef de train. Chacun reprenait son journal, sa conversation ou sa rêverie. Ceux qui ne pensaient à rien, ceux qui ne lisaient jamais une ligne d'un journal, d'une revue, d'un périodique ou d'un livre, continuaient à ne penser à rien. Chaque matin, il se trouvait cependant quelqu'un pour
30 confier à son voisin, en douce, de crainte d'être entendu, que pourtant, l'un de ces jours, le petit homme finirait par manquer le pied. Et alors, brr... Mais cela ne se produisait jamais et au fond il devait se trouver quelqu'un pour en être, dans son quant-à-soi, déçu. Même les pires angoisses s'épuisent, à la
35 longue, et avec le temps certains Anglais avaient fini par se désintéresser complètement de ce qui aurait pu arriver au petit homme. [...]

Ces indifférents et ces distraits regrettèrent amèrement leur indifférence et leur distraction, car lorsque l'inévitable l'hor-
40 rible chose survint, personne ne put dire exactement ce qui s'était passé. Et la police, appelée d'urgence, après une brève enquête tenue sur place, ne put tirer aucune conclusion de ce curieux événement.

C'était par un matin ensoleillé d'avril, un de ces matins qui
45 vous font croire que le printemps est réellement arrivé. Il ne restait plus trace de neige, sinon dans quelques rares replis de terrain que le soleil de mars n'avait pu rejoindre. Le petit homme s'en venait sur la voie ferrée, sautillant alternativement du pied gauche et du pied droit, de traverse en traverse, attentif
50 à ne pas trébucher dans le ballast. Le train s'en venait en sens inverse, de sa démarche cahoteuse, mais pas moins terrifiante pour cela. Certains témoins prétendirent plus tard que pour cette fois le train était vraiment à l'heure, qu'il était réellement sept heures quarante-huit quand il avait frôlé dans son fracas
55 habituel le quai de la gare. Tout à coup, d'un groupe de voyageurs s'éleva un cri à la fois de surprise et d'horreur, réper-cuté bientôt par la foule qui, dans l'ensemble, n'avait rien vu, mais qui faisait un écho puissant à l'exclamation de ceux qui avaient vu ou prétendaient avoir vu quelque chose.

60 Le petit homme n'était plus là. Il avait manqué le saut. Il avait vraisemblablement roulé sous les roues de la locomotive qui n'avait pu freiner à temps. La nouvelle se propagea de bouche en bouche, en anglais, en français, dans d'autres langues même. La surexcitation était à son comble bien que
65 personne n'eût pu dire exactement ce qui s'était produit. Ce que l'on pouvait constater seulement, c'était que le petit

homme n'était plus là. Plusieurs femmes s'évanouirent en criant mon Dieu ou *By Gosh!* Une Anglaise devint folle sur l'heure. Elle pointait le ciel de l'index, criant *Look, Look, Over*
70  *there!* Là-bas! Là-haut! Dans le ciel! Tout le monde regardait, personne ne voyait. Mais là, dans le ciel! Le petit homme! Il s'envolait dans l'azur, à l'en croire, avec attachées aux épaules de toutes petites ailes. Personne ne voyait rien. On finit par emmener cette pauvre femme, qui criait comme une perdue.
75  Elle laissa tomber son sac à main. Personne ne s'en aperçut et on le piétina.

Des hommes injuriaient le chef de train, lui criant qu'il aurait pu faire attention, qu'il avait manqué de prudence. Certains allèrent jusqu'à dire qu'il l'avait fait exprès. Que c'était
80  un accident provoqué. Que le chef de train n'avait pu tolérer davantage d'être défié chaque matin par le petit homme. Que c'était pour l'induire en erreur, que ce matin-là il était entré en gare à sept heures quarante-huit précises. Car on venait de découvrir que pour une fois le train n'avait pas son retard
85  habituel. Personne ne songeait à blâmer le petit homme, qui gisait probablement sous les roues de la locomotive. En un rien de temps, les contrôleurs étaient descendus sur le quai. La sirène de la police retentissait déjà sur le boulevard prochain. Le chef de train avait quitté sa cage lui aussi et tentait de s'ex-
90  pliquer. Certains voulaient lui faire un mauvais parti. En d'autres circonstances, il aurait été hilarant de voir tous ces gens, contrôleurs et voyageurs mêlés, le derrière saillant par-dessus tête, qui cherchaient à localiser sous la locomotive le petit homme, sans doute écrabouillé.

95  Mais les trains sont ainsi faits qu'il n'est pas facile d'y voir clair dessous. On ne trouvait rien. Du petit homme, nulle trace visible. Sur l'ordre de la police, le chef de train remonta dans sa cage. Il fallait manœuvrer, soit avancer, soit reculer, afin de libérer la voie. La manœuvre fut lente. La foule, énervée, criait
100  au chef de train de se presser, que cette attente devenait pro-prement intolérable. Finalement le train se mit lentement en marche. Avança, puis recula. Avança de nouveau, puis recula encore une fois, sous l'œil impatient de la foule, dans un tinta-marre de cris et de protestations. Lorsque le train eut dégagé
105  finalement la voie, on s'aperçut de cette chose effroyable, incompréhensible, incroyable : le petit homme n'y était pas. De lui, pas la moindre trace. Quelqu'un cria qu'il y avait du sang, là, sur deux ou trois traverses, mais on se rendit vite compte qu'il s'agissait d'huile de graissage, dégoulinant des
110  entrailles du train. L'effervescence atteignit son comble mais, faute d'aliment, s'apaisa bientôt. Personne ne comprenait rien à rien, mais il était maintenant évident que le petit homme n'avait pas été écrabouillé, comme tout le monde l'avait d'abord cru. On se tourna bientôt contre ceux qui, à ce qu'ils

Résumer un texte   **15**

_____

_____

_____

_____

_____

_____

_____

_____

_____

_____

_____

_____

_____

_____

_____

_____

_____

_____

_____

_____

_____

_____

_____

_____

_____

_____

_____

_____

_____

_____

_____

115 prétendaient, l'avaient vu de leurs yeux rouler sous la locomotive. On les injuria, les traitant de mauvais plaisants, puis de sadiques personnages. Mais les accusés rétorquaient aussi fort : où est-il votre petit homme ? Montrez-le-nous, votre petit homme ! Mais personne ne savait où le trouver. Il était effec-
120 tivement introuvable.

Peu à peu les voyageurs commencèrent à monter dans le train. Les plus flegmatiques se risquèrent à rouvrir leur journal. Une demi-heure s'était écoulée en pure perte, d'autant qu'à Parc-Royal on signalait déjà l'arrivée du train de huit
125 heures vingt-huit. Lorsqu'il eut à son bord tout son monde, le train de sept heures quarante-huit s'ébranla. Et lorsqu'il arriva au centre de la ville, vingt minutes plus tard, personne ne parlait plus du curieux événement. De nouveau les sports, la politique, les discussions d'affaires et les tracas ménagers occu-
130 paient toutes les conversations. Durant la journée, on pensa de moins en moins au petit homme et le soir venu, lorsque chacun ouvrit son journal, on s'étonna qu'il n'y fût point fait mention de cette mystérieuse affaire. Tout au plus la société ferroviaire avait-elle fait distribuer pour les voyageurs du
135 retour, en fin d'après-midi, une brève circulaire où il était dit qu'en raison de circonstances imprévues, le train de sept heures quarante-huit était entré en gare avec une demi-heure de retard. Elle s'en excusait, sans autre forme d'explication, auprès de ses abonnés.

140 Le lendemain matin, les voyageurs envahirent à l'heure habituelle le quai de la petite gare. Personne ne souffla mot de l'affaire de la veille. Lorsque à sept heures quarante-neuf, le train signala son arrivée par un long mugissement plus dramatique que de coutume, sembla-t-il, quelques personnes
145 seulement tournèrent la tête dans la direction d'où venait d'habitude le petit homme. Sautillant d'une jambe, puis de l'autre, le nez baissé sur la manchette de son journal, le petit homme marchait précipitamment, courait presque, vers le train qui, comme chaque matin depuis bientôt deux ans, sem-
150 blait foncer sur lui.

Jean Hamelin, *Nouvelles singulières*, © Hurtubise HMH, 1964.

Résumer un texte, c'est le récrire de manière concise dans ses propres mots, en reprenant les idées essentielles.

# LE RÉSUMÉ

Pour résumer un texte littéraire ou courant, il faut d'abord l'avoir lu et l'avoir bien compris. À cet égard, les étapes de lecture proposées dans le chapitre 1 sont très importantes. Il est impossible de bien résumer un texte si on ne l'a pas saisi correctement.

Il s'agit d'extraire l'essentiel du texte en s'en tenant aux éléments importants. De plus, on doit préserver le sens du texte et porter une attention particulière à l'enchaînement des phrases pour assurer la cohérence du résumé.

Sans trahir le contenu, c'est-à-dire en respectant la pensée de l'auteur et le sens général de son propos, il faut reformuler l'essentiel du texte de manière concise.

Pourquoi faire un résumé ?
Le résumé permet de vérifier votre compréhension du texte et votre capacité à reformuler dans vos mots les idées essentielles. Il permet d'évaluer votre capacité à discerner ce qui est essentiel de ce qui est secondaire et, du même coup, votre habileté à rédiger en français.

## Les techniques pour rédiger un résumé

Deux techniques pour rédiger un résumé sont présentées ci-dessous. La première consiste à s'arrêter, au fil de la lecture, sur les idées essentielles (mots et expressions clés) à la compréhension du texte. La deuxième consiste à découper le texte en parties, puis à résumer chacune d'elles. Les deux méthodes sont efficaces et permettent d'arriver au même résultat.

### 1re technique  Retracer les idées essentielles

Comme on l'a déjà vu au chapitre 1, pour retracer les idées essentielles, on surligne les éléments importants (mots et expressions clés) et on les reformule dans ses propres mots. La reformulation peut se faire dans la marge du texte. Il faut ensuite présenter les idées reformulées dans des phrases qui s'enchaînent de façon cohérente.

### 2e technique  Diviser le texte en parties

Si le texte à résumer contient plusieurs paragraphes, on peut résumer chaque paragraphe en une ou deux phrases. Idéalement, chaque paragraphe doit présenter une idée nouvelle. Toutefois, si les paragraphes sont très courts ou traitent d'une même idée, il vaut mieux faire des regroupements, et résumer en quelques mots l'idée qui ressort de ces regroupements.

Pour vous aider à distinguer les parties du texte, séparez-les par une barre oblique.

S'il s'agit d'un extrait de pièce de théâtre ou d'un texte qui contient des dialogues, il est préférable de diviser le texte en parties en observant si la situation change, si des personnages arrivent ou partent, etc. Cette méthode permet d'établir le plan du texte. Lorsque le texte est divisé en parties, il suffit de résumer chacune d'elles.

# Les particularités d'un bon résumé

Quelle que soit la technique choisie, voici des points importants qui vous aideront à bien organiser votre résumé.

### Éléments à privilégier pour rédiger un bon résumé

Pour rédiger un bon résumé, il faut :

- respecter l'idée directrice (définie dans le chapitre 1), appelée aussi idée maîtresse ou fil conducteur ;
- respecter l'ordre dans lequel les événements sont présentés dans le texte (chronologie des événements) ;

Écrire au présent facilite la rédaction du résumé.

- demeurer objectif et neutre dans la reformulation (le résumé est écrit à la troisième personne ou à la forme impersonnelle) ;
- respecter le nombre de mots demandés. L'utilisation de termes justes permet souvent d'éviter les tournures de phrases qui rallongent inutilement le résumé.

### Pièges à éviter pour rédiger un bon résumé

Il faut éviter :

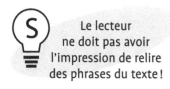

Le lecteur ne doit pas avoir l'impression de relire des phrases du texte !

- de faire un collage de citations ou de reprendre les idées essentielles en changeant seulement quelques mots ;
- d'inclure des citations ;
- de commenter ou de juger ;
- d'insérer des détails inutiles qui alourdiraient et allongeraient le résumé.

Si vous ne pouvez reformuler certaines expressions faute d'équivalents, il est permis de reprendre les mots clés qui expriment les idées importantes du texte.

## EXEMPLE

Voici un exemple de résumé fait à partir des mots et des expressions clés surlignés dans le texte « Prométhée et les premiers hommes » qui a été étudié dans le chapitre 1.

### Résumé de « Prométhée et les premiers hommes »

Lors de leur création par les dieux, les humains, contrairement aux animaux, ne reçoivent pas tous les attributs physiques nécessaires et voient leur survie en péril. Prométhée, sensible à leur condition, leur vient en aide en leur remettant le feu qu'il a volé aux dieux. Furieux, Zeus, le dieu suprême, décide de punir les hommes en leur tendant un piège. Il envoie sur terre Pandora, la première femme. Celle-ci est incapable de résister à la tentation d'ouvrir la boîte que lui a donnée Zeus : le malheur s'abat sur les hommes. La seconde vengeance de Zeus vise à faire subir à Prométhée de terribles souffrances corporelles. (108 mots)

## EXERCICES

En vous fondant sur la nouvelle « Le petit homme » et sur les connaissances acquises dans le chapitre 1, faites les exercices qui suivent.

Les deux premiers exercices portent sur le survol (première étape de lecture) : l'étude des mots repérés et la formulation de l'idée directrice du texte. Ils sont préalables au résumé.

1. Donnez le sens contextuel des expressions et des mots suivants.
   Il est suggéré de consulter le dictionnaire.

   manège (ligne 15) : _____

   _____

   manchette (ligne 18) : _____

   _____

   quant-à-soi (ligne 34) : _____

   _____

   ballast (ligne 50) : _____

   _____

   comme une perdue (ligne 74) : _____

   _____

   cage (ligne 89) : _____

   _____

   faire un mauvais parti (ligne 90) : _____

   _____

   écrabouillé (ligne 94) : _____

   _____

   faute d'aliment (ligne 111) : _____

   _____

   Les plus flegmatiques (ligne 122) : _____

   _____

**2.** Quelle est l'idée directrice de la nouvelle « Le petit homme » ?

_____

_____

_____

### La cohérence textuelle : la reprise de l'information

La reprise de l'information consiste à reprendre, dans des termes différents, des éléments d'information présentés dans un texte. Pour assurer la cohérence textuelle, on a recours à des mots ou groupes de mots qui reprennent l'information. La plupart de ces mots ou groupes de mots substituts appartiennent aux classes grammaticales suivantes :

• Le pronom (Pron) : mot qui remplace un mot ou un groupe de mots qu'on appelle l'antécédent. Le pronom qui reprend l'information est appelé *pronom de reprise*.

> « [...] on avait toujours l'impression que le bolide de fer et d'acier allait engouffrer <u>le petit homme</u>, **celui-ci**, **qui** semblait jusqu'alors voler, délibérément quoique avec une indifférence incroyable, vers une mort assurée, sautait prestement de côté sur le quai où on **lui** ménageait toujours une petite place car on savait qu'**il** sauterait uniformément au même endroit. »

Dans le paragraphe précédent, les mots en gras font référence au groupe nominal « le petit homme ». L'utilisation des pronoms (démonstratif, relatif et personnel) permet d'éviter la répétition des mots. Le pronom est sans doute le procédé de reprise de l'information le plus courant.

Considérons maintenant l'exemple suivant :

> « <u>Le petit homme</u> n'était plus là. **Il** avait manqué le saut. **Il** avait vraisemblablement roulé sous les roues de la locomotive qui n'avait pu freiner à temps. »

Dans cet exemple, la répétition du pronom sujet (et pronom de reprise) « il » est nécessaire, car on ne connaît le personnage que sous l'appellation « le petit homme ».

• Le groupe nominal (GN) : groupe de mots dont le noyau, c'est-à-dire l'élément principal, est un nom.

> « [...] <u>le train</u> allait s'immobiliser devant le quai. [...] on avait toujours l'impression que **le bolide de fer et d'acier** allait engouffrer le petit homme [...] »

Dans ce cas, le groupe nominal « le bolide de fer et d'acier » évite la répétition et ajoute des éléments qui définissent le train (progression de l'information).

**NOTE**

« [...] le bolide de fer et d'acier » est une périphrase : on a utilisé plusieurs mots pour en reprendre un seul : « train ».

- Le groupe adverbial (GAdv) : groupe de mots dont le noyau est un adverbe.

  « Le petit homme s'en venait <u>sur la voie ferrée</u> [...] Le petit homme n'était plus **là**. »

L'adverbe « là » fait référence au lieu où se trouvait le petit homme avant l'arrivée du train : « sur la voie ferrée ».

Bref, l'utilisation de mots ou groupes de mots substituts permet de reprendre l'information en évitant les répétitions. Il faut toutefois s'assurer que le substitut représente la même réalité que le mot remplacé.

## EXERCICES

**3.** Dans l'extrait ci-dessous,
  **a)** relevez le ou les substituts des éléments encadrés ;
  **b)** indiquez s'il s'agit d'un pronom (Pron), d'un groupe nominal (GN), d'un groupe adverbial (GAdv) ou d'une répétition.

> Une Anglaise devint folle sur l'heure. Elle pointait le ciel de l'index, criant *Look, Look, Over there*! Là-bas! Là-haut! Dans le ciel! Tout le monde regardait, personne ne voyait. Mais là, dans le ciel! Le petit homme! Il s'envolait dans l'azur, à l'en croire, avec attachées aux
> 5 épaules de toutes petites ailes. Personne ne voyait rien. On finit par emmener cette pauvre femme, qui criait comme une perdue. Elle laissa tomber son sac à main. Personne ne s'en aperçut et on le piétina.

Une Anglaise : _____
_____

le ciel : _____
_____

Le petit homme : _____
_____

son sac à main : _____
_____

> **NOTE**
>
> Avant de rédiger un résumé, la lecture attentive est nécessaire pour repérer les éléments essentiels dans le texte. Les exercices suivants portent sur les deux techniques proposées pour rédiger un résumé. Vous choisirez ensuite celle qui vous convient.

**4.** (1ʳᵉ technique) Au fil de la lecture de la nouvelle « Le petit homme » (pages 13 à 16), surlignez les mots et les expressions clés du texte. Dans la marge, reformulez-les dans vos mots.

**5.** (2ᵉ technique) Séparez le texte en parties (à l'aide de barres obliques s'il y
a lieu). Ci-dessous, résumez chacune d'elles en une phrase ou deux.

_____

_____

_____

_____

_____

_____

_____

_____

_____

**6.** Pour rédiger un résumé d'une centaine de mots, choisissez l'une des
deux techniques proposées en vous basant sur le travail effectué aux
numéros 4 et 5.

_____

_____

_____

_____

_____

_____

_____

_____

_____

_____

_____

_____

_____

Nombre de mots _____

Quelle technique avez-vous utilisée ? Pourquoi ?

■■■■■ **Retour sur le résumé**

Vérifiez si votre résumé est bien rédigé en vous posant les questions
suivantes :

- L'idée directrice est-elle respectée ?
- L'histoire (la narration) est-elle clairement présentée du début à la fin ?
- Le résumé est-il rédigé au présent ?
- Les phrases s'enchaînent-elles correctement ?
- Y a-t-il des répétitions de mots inutiles ? (Soulignez les substituts que vous
  avez utilisés pour éviter les répétitions.)
- Y a-t-il des fautes d'orthographe ou de grammaire ?

**7.** Dans le premier et le dernier paragraphe du texte « Le petit homme »
(lignes 1 à 10 et lignes 140 à 150), relevez les mots ou les expressions qui
montrent que prendre le train est une activité courante.

_____

_____

_____

_____

**8.** Relevez les mots ou les expressions qui font partie du champ lexical
relatif au train.

_____

_____

_____

> **DÉFINITION**
>
> Le champ lexical
> est l'ensemble des
> mots (le lexique)
> qui portent sur
> une même idée.

# ENRICHIR LE VOCABULAIRE

**1.** Dans les phrases suivantes, remplacez le verbe *être* par un verbe
plus précis. Vérifiez si la préposition qui suit le verbe doit être
modifiée ou supprimée.

> **EXEMPLE**
>
> *Une larme de joie **est** dans ses yeux.*
>
> *Une larme de joie **brille** dans ses yeux.*

**a)** Des rides profondes [*sont*] sur ce visage.

_____

**b)** Plusieurs banalités [*sont*] dans ce roman.

_____

**c)** Un silence de mort [*est*] dans cette salle.

_____

**d)** De superbes arabesques [*sont*] sur cet édifice.

_____

**e)** Les premiers rayons du soleil [*sont*] sur les sommets des montagnes.

_____

**f)** Plusieurs sentiers [*sont*] dans cette forêt.

_____

2. **Dans les phrases suivantes, remplacez le verbe *faire* par un verbe plus précis.**

EXEMPLE

*Ce journal **fait** une place spéciale à cet écrivain.*

*Ce journal **réserve** une place spéciale à cet écrivain.*

**a)** Une haie [*fait*] la limite entre les voisins.

_____

**b)** Cet enfant [*fait*] de belles surprises à ses parents.

_____

**c)** Un architecte renommé [*fait*] les plans de ce musée.

_____

**d)** L'otage [*fait*] un pressant appel à son pays.

_____

**e)** Un commissaire a été chargé de [*faire*] un rapport sur certains politiciens.

_____

**f)** Le collège [*fait*] quelques changements aux règles d'admission des élèves.

_____

# RÉPONDRE À UNE QUESTION DE COMPRÉHENSION

## CHAPITRE 3

Avant d'arriver à l'étape suivante, c'est-à-dire avant de rédiger un paragraphe logique et bien structuré en réponse à une question, une étape intermédiaire est nécessaire pour approfondir votre compréhension du texte. Dans le chapitre 1, vous avez lu un extrait de façon méthodique et vous en avez dégagé l'essentiel en vue de le résumer dans le chapitre 2. Dans le présent chapitre, la lecture approfondie d'un texte vous permettra de repérer les citations et les exemples qui serviront à justifier une réponse. Vous devrez donc répondre à des questions de compréhension qui nécessiteront des réponses appuyées sur des segments de phrases tirés du texte proposé. Vous pourrez compléter la réponse par une phrase de conclusion.

## ⊚ TEXTE À L'ÉTUDE ⊚

Jean Markale est né en 1928 à Paris, d'une famille bretonne et irlandaise. Sa grand-mère lui raconte d'étranges légendes qui alimenteront plus tard ses propres écrits. Ancien professeur de lettres et de philosophie, il s'intéresse particulièrement au monde celte. Plusieurs de ses ouvrages portent sur la Bretagne, les Celtes ou le Graal. Le récit qui suit est tiré des *Contes populaires de toutes les Bretagne*.

### L'héritage de Gérard

> ▷ Annotations

Il y a bien longtemps, un seigneur de noble famille mourut en laissant deux fils, dont le cadet se nommait Gérard.

Le père, qui avait trois ou quatre châteaux, les laissa tous, avec les terres, à son fils aîné, tandis que Gérard reçut à peine
5 de quoi vivre.

Il était jeune, gai, et aimait le plaisir. Il employa les quelques rentes qui lui avaient été attribuées à s'amuser avec ses amis, tant et si bien qu'il eut bientôt dépensé tout ce qu'il possédait. Il se trouva sans ressources.

10 Il alla trouver son frère aîné, disant qu'il était bien pauvre et qu'il lui restait à peine de quoi vivre. Son frère réfléchit quelques instants, puis il lui dit :

— Écoute, je crois que nous allons pouvoir nous arranger. Parmi les châteaux que j'ai hérités de notre père, il s'en trouve
15 un qui est inhabité pour le moment. Il était occupé autrefois par des gens qui sont morts maintenant. Il est même rempli,

du haut en bas, de meubles magnifiques, et les héritiers des anciens habitants n'ont jamais réclamé ce riche mobilier. Il est toujours intact.

20 Ce qu'il ne disait pas, c'est que les habitants du château étaient morts d'une façon mystérieuse, sans qu'on eût jamais pu expliquer comment.

– Donc, Gérard, continua le frère, si tu veux habiter ce château, je t'en fais volontiers cadeau. Il est entouré, dit-on,
25 d'un superbe parc, de prairies et de bois. Puisque j'en ai trois autres, je peux bien te donner celui-là.

Gérard fut enchanté de cette proposition et il accepta immédiatement ce cadeau inespéré.

Son frère fit dresser un acte, par lequel il lui cédait tous ses
30 droits sur le domaine. Après l'avoir signé et [avoir] remercié chaleureusement son frère, le jeune homme courut inviter deux de ses amis intimes pour venir avec lui pendre la crémaillère dans son nouveau château.

Ils partirent donc et arrivèrent tous les trois à la propriété
35 qu'ils visitèrent dans tous les sens. Ils parcoururent le château de la cave au grenier, admirant le superbe mobilier qui le garnissait. Enfin ils se mirent à table et burent tous trois de telle sorte qu'ils eurent la tête un peu échauffée. Et ils jouèrent aux cartes.

40 Les parties se succédaient les unes aux autres. Tout à coup minuit vint à sonner.

Au même instant, on entendit un bruit infernal de chaînes traînées dans les corridors. Les trois jeunes gens, qui étaient très étourdis par le vin, se sentirent effrayés et commencèrent
45 à se regarder avec inquiétude.

– Ah! ça! dit Gérard. Mon frère m'avait affirmé que le château était désert. Je crois qu'il n'en est rien. D'où peut venir ce tapage?

Au même instant, la porte du salon s'ouvrit à deux battants
50 et un squelette apparut, drapé dans un grand manteau. Ses deux amis tremblaient de tous leurs membres, mais Gérard, qui était plus brave, se leva de sa chaise et regarda l'apparition sans pâlir. Le fantôme s'approcha de lui et lui dit d'une voix caverneuse :

55 – As-tu peur, Gérard? As-tu peur?

– Non, répondit Gérard.

Le squelette lui présenta alors son crâne en disant :

– Boirais-tu dans cette coupe?

– Pourquoi pas? dit Gérard.

60     – As-tu peur, Gérard ? As-tu peur ? répéta le fantôme.

    – Non, répondit le jeune homme.

    – Si tu n'as pas peur, bois dans ce crâne ! dit le revenant.

Et prenant une bouteille sur la table, il remplit le crâne et le lui tendit.

65     Gérard prit le crâne et but tandis que ses camarades tombaient évanouis.

    – Maintenant, dit le spectre, je sais que tu es brave. Tu vas me suivre.

    Gérard se leva, et laissant ses deux amis sans connaissance,
70 il s'avança à la suite du fantôme. Il demanda :

    – Où allons-nous ?

    – Tu le verras bien !

Le squelette descendit le grand escalier. Une pâle lumière l'enveloppait et se répandait autour de lui. Gérard, en quittant
75 la salle, avait emporté une torche de résine et un briquet qu'il avait dissimulés sous ses vêtements. Ils descendirent jusqu'aux caves. Arrivé à un certain endroit, le spectre ouvrit une porte secrète, toute bardée de fer, que Gérard et ses compagnons n'avaient point aperçue lorsqu'ils avaient visité le
80 château. Il lui fit descendre de nouvelles marches qui conduisaient à un souterrain.

Le squelette s'arrêta et demanda :

    – As-tu peur, Gérard ? As-tu peur ?

    – Non, répondit Gérard.

85     – Alors, regarde à tes pieds.

Le jeune homme obéit, et, baissant les yeux, il distingua des pierres tombales.

    – Sous l'une de ces pierres, dit le fantôme, sont enfouies des richesses incomparables. Elles te sont réservées puisque ton
90 courage t'a rendu digne de les posséder. Fais creuser à cet endroit et tu trouveras ce qui t'appartient.

    Au même instant, la lumière qui entourait le fantôme s'éteignit. Gérard se retrouva dans le noir. Heureusement, il avait son briquet : il s'empressa d'allumer la torche qu'il avait
95 apportée et regarda autour de lui : le squelette avait disparu, il était seul, absolument seul.

Il raviva sa torche, fit une marque à l'endroit que le fantôme lui avait indiqué, et remonta tranquillement retrouver ses amis.

Ceux-ci n'avaient pas encore repris connaissance. Il les ranima
100 en leur faisant boire un peu de vin, et comme ils voulaient partir

tout de suite, souhaitant se trouver à cent lieues de ce château maudit, il les pria de rester, même contre leur gré.

– Restez avec moi, leur dit-il, car nous ne nous quitterons plus désormais, et j'aurai besoin de vous pour faire témoignage de
105 tout ce que vous aurez vu ici. Mon frère pourrait, par la suite, contester mes droits à la propriété de ce château, mais heureusement, j'ai sa signature comme preuve du don qu'il m'en a fait en m'en abandonnant l'entière possession.

Les deux amis acceptèrent sans grand enthousiasme. Ils
110 allèrent se coucher, et le reste de la nuit se passa sans aucun bruit.

Le lendemain matin, Gérard fit venir des ouvriers et les conduisit au fond du souterrain afin de desceller la pierre que le spectre lui avait désignée.

115 On souleva cette pierre. Et là, en dessous, on trouva une cuve remplie d'or et de pierreries d'un prix inestimable.

Le bruit de cette merveilleuse découverte se répandit bientôt et elle arriva aux oreilles du frère de Gérard. Cela ne lui fut pas agréable de savoir que Gérard était dix fois plus riche que
120 lui-même. Comme Gérard l'avait bien pensé, il vint en toute hâte et prétendit que toutes les richesses trouvées dans le château ainsi que le château lui-même devaient lui appartenir en vertu de son droit d'aînesse.

Gérard lui présenta alors l'acte de donation signé par lui.
125 L'aîné voulut alors porter l'affaire devant les tribunaux, mais les juges déclarèrent que l'acte de donation était valable et que le château, avec tout ce qui s'y trouvait, appartenait à Gérard.

Gérard devint donc extrêmement riche. Il garda avec lui ses deux amis qui ne le quittèrent jamais.

Jean Markale, *Contes populaires de toutes les Bretagne*, Nantes (Loire-Atlantique), © Éditions Ouest-France, 1993.

# RÉPONDRE À UNE QUESTION DE COMPRÉHENSION : MISE EN SITUATION

Lors d'un contrôle de lecture, vous est-il déjà arrivé de répondre en deux ou trois mots à une question, même s'il était permis de répondre en quelques lignes?

Lisez ci-après les quatre réponses à la question suivante : *Pourquoi les Jeux olympiques attirent-ils tant d'athlètes de partout dans le monde?* Déterminez quelle réponse est la meilleure. Justifiez votre choix.

**a)** Les médailles.

**b)** Les athlètes veulent gagner des médailles.

c) Parce qu'ils veulent gagner des médailles.

d) Plusieurs athlètes sont attirés par les Jeux olympiques. En effet, ces compétitions de haut niveau leur permettent de se mesurer aux meilleurs dans une discipline sportive en vue de remporter une médaille.

La formulation d'une réponse à une question de compréhension est une tâche qui nécessite de l'organisation et de la précision. Avec le temps, les étapes de la méthode proposée dans ce chapitre se feront spontanément.

NOTE
Vérifiez ce que pensent les autres étudiants.

# LES ÉTAPES À SUIVRE AFIN DE RÉPONDRE CORRECTEMENT À UNE QUESTION DE COMPRÉHENSION DE TEXTE

Les étapes à suivre pour répondre correctement à une question de compréhension se rapportent au texte « La dernière fée ». Vous n'aurez qu'à suivre ce modèle pour formuler des réponses complètes aux questions qui vous seront posées sur le texte à l'étude : « L'héritage de Gérard ».

## La dernière fée

Je rencontrai l'autre jour une bonne fée qui courait comme une folle malgré son grand âge.

– Êtes-vous donc si pressée de nous quitter, Madame la Fée ? lui demandai-je.

5 – Ah ! ne m'en parlez pas ! répondit-elle.

Il y a quelques centaines d'années que je n'étais venue sur la terre, et je n'y comprends plus rien ! J'offre la beauté aux jeunes filles, le courage aux jeunes gens, la santé aux malades, enfin tout ce qu'une bonne fée peut offrir de bon aux humains, et tous me refusent.

10 « Avez-vous de l'or et de l'argent ? me disent-ils ; nous ne souhaitons pas autre chose. » Aussi je me sauve, car j'ai peur que les roses des buissons ne me demandent des parures de diamants et que les papillons n'aient la prétention de rouler carrosse dans la prairie !...

« Non, non, ma bonne dame, s'écrient en chœur les petites roses, qui 15 avaient entendu grogner la fée : nous avons des gouttes de rosée sur nos feuilles !... »

« Et nous, dirent en folâtrant les papillons, nous avons de l'or et de l'argent sur nos ailes !... »

Voilà, dit la fée en s'en allant, les seules gens raisonnables que je 20 laisse sur la terre.

George Sand (1804-1876).

La lecture approfondie consiste à relire des passages du texte pour en comprendre toutes les subtilités.

**NOTE**

Vous devez d'abord faire un survol, c'est-à-dire repérer les mots difficiles et trouver leur signification.

Les étapes qui suivent permettent de répondre succinctement à une question de compréhension. Ces étapes seront reprises dans le chapitre 4 pour rédiger un paragraphe structuré, une réponse plus élaborée.

La réponse s'organise autour de citations tirées du texte. Une lecture approfondie s'impose pour repérer les éléments de réponse dans le texte.

**Question de compréhension sur le texte « La dernière fée » :**

> **Que ressent la fée sur terre ?**

Pour répondre à cette question de compréhension, il faut suivre les trois étapes décrites ci-après.

## 1<sup>re</sup> étape : Comprendre la question posée

**1<sup>re</sup> activité   Les mots clés de la question**

Souligner les mots clés dans la question :

Que <u>ressent</u> la fée <u>sur terre</u> ?

## 2<sup>e</sup> étape : Trouver les éléments de réponse dans le texte

**1<sup>re</sup> activité   Les citations**

Lire le texte et surligner les citations qui pourraient servir à appuyer la réponse.

- « J'offre la beauté aux jeunes filles, le courage aux jeunes gens, la santé aux malades, enfin tout ce qu'une bonne fée peut offrir de bon aux humains, et tous me refusent. » (lignes 7 à 9)

- « Avez-vous de l'or et de l'argent ? me disent-ils ; nous ne souhaitons pas autre chose. » (lignes 10-11)

- « Aussi je me sauve, car j'ai peur que les roses des buissons ne me demandent des parures de diamants et que les papillons n'aient la prétention de rouler carrosse dans la prairie !... » (lignes 11 à 13)

**2<sup>e</sup> activité   Les idées secondaires**

À partir des citations, déduire les idées secondaires et les formuler.

La première phrase de la réponse constitue l'idée principale et le cœur de cette réponse. Les idées secondaires s'articulent autour de l'idée principale et permettent de la développer. Elles sont en quelque sorte les arguments qui justifient le propos.

**NOTE**

Dans le processus de rédaction, il se peut qu'on ait déjà en tête les idées secondaires lorsqu'on cherche des citations dans le texte.

| CITATIONS | IDÉES SECONDAIRES |
|---|---|
| • « J'offre la beauté aux jeunes filles, le courage aux jeunes gens, la santé aux malades, enfin tout ce qu'une bonne fée peut offrir de bon aux humains, et tous me refusent. » (lignes 7 à 9) | Les êtres humains semblent cupides. |
| • « Avez-vous de l'or et de l'argent ? me disent-ils ; nous ne souhaitons pas autre chose. » (lignes 10-11) | Les êtres humains sont matérialistes. |
| • « Aussi je me sauve, car j'ai peur que les roses des buissons ne me demandent des parures de diamants et que les papillons n'aient la prétention de rouler carrosse dans la prairie !... » (lignes 11 à 13) | La bonne fée est tellement déçue qu'elle prend la fuite. |

Il n'est pas nécessaire d'utiliser toutes les citations trouvées. Il vaut mieux retenir celles qui servent le mieux le propos et qui semblent les plus faciles à expliquer dans ses mots.

## Les citations

Toute réponse à une question de compréhension comprend une ou plusieurs citations (ou des exemples) pour appuyer les idées secondaires qui, elles, développent l'idée principale.

Il existe deux façons d'insérer une citation dans la réponse :

**a)** Les citations peuvent être introduites. Il faut alors introduire une phrase ou un segment de phrase tirés du texte à l'aide d'une phrase suivie d'un deux-points. La phrase tirée du texte doit toujours commencer par une majuscule et être encadrée de guillemets.

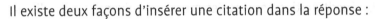

> **EXEMPLE**
>
> Les gens demandent à la fée : « Avez-vous de l'or et de l'argent ? »
> (ligne 10)

**b)** Les citations peuvent être intégrées. Il faut alors intégrer une phrase ou un segment de phrase tirés du texte dans une phrase grammaticalement correcte. Dans ce cas, il n'y a pas de deux-points ni de majuscule.

> **EXEMPLE**
>
> Les gens demandent à la fée si « [elle a] de l'or et de l'argent ».
> (ligne 10)

> **NOTE**
>
> Il est parfois impossible de reprendre textuellement une citation complète ou partielle, surtout lorsqu'il s'agit d'un dialogue ou d'une suite d'événements. Vous pouvez alors résumer dans vos mots la partie de l'extrait qui illustre votre propos, en indiquant la source entre parenthèses. Dans ce cas, on ne parle plus de *citation* mais d'*exemple*.

### Les signes utilisés dans la citation

- Les guillemets $\boxed{« \,»}$ : ils indiquent qu'une phrase ou un segment de phrase sont tirés de l'extrait.

- Les parenthèses $\boxed{( \,)}$ : elles servent à indiquer les lignes où se trouvent les parties citées.

- Les crochets $\boxed{[ \,]}$ : ils signifient qu'une partie de la citation a été modifiée. Ainsi, le scripteur peut, à l'intérieur de crochets, changer un mot ou une terminaison dans la citation afin de respecter la syntaxe de sa phrase et de préserver la cohérence de son texte. Les changements les plus courants portent sur le temps ou la personne du verbe, et sur l'utilisation des pronoms et des déterminants. Les crochets encadrant des points de suspension indiquent qu'une partie de la citation a été volontairement omise.

### EXERCICE

**1. Exercice sur les citations**

Récrivez les phrases suivantes en y intégrant les citations.

N'oubliez pas de supprimer le deux-points et de respecter la syntaxe de la phrase.

Pour faciliter la réécriture des phrases, les mots qui doivent être modifiés sont soulignés. Vous devrez peut-être enlever ou ajouter des mots.

**a)** La fée quitte les lieux en disant : « J'ai peur que les roses des buissons ne me demandent des parures de diamants ». (lignes 11-12)

_____

_____

**b)** Les petites roses semblaient satisfaites de leur sort : « Nous avons des gouttes de rosée sur nos feuilles !... » (lignes 15-16)

_____

_____

**c)** En partant, la fée se console et se dit : « Voilà [...] les seules gens raisonnables que je laisse sur la terre. » (lignes 19-20)

_____

_____

## 3e étape : Répondre à la question posée

**1re activité** L'idée principale (la première phrase de la réponse)

À l'aide des idées secondaires formulées à l'étape 2, répondre en une seule phrase à la question posée. Cette première phrase, l'idée principale, reprend les mots clés de la question et y répond.

La réponse à la question « Que ressent la fée sur terre ? » peut être formulée ainsi : La bonne fée est mécontente sur terre. L'adjectif *mécontente* exprime le sentiment de la fée.

Les activités 2, 3 et 4 permettent de développer l'idée principale, c'est-à-dire d'élaborer le reste de la réponse.

### 2ᵉ activité    L'idée secondaire

Formuler l'idée secondaire déduite à partir de la citation.

### 3ᵉ activité    La citation

Introduire ou intégrer la citation choisie.

Vérifier les points suivants :

- Les guillemets encadrent la courte citation tirée du texte.
- La citation est suivie de la référence (la ligne où elle se trouve dans le texte).
- Toute modification de la citation est présentée entre crochets.
- La citation ne doit pas allonger inutilement la réponse.
- Il faut toujours s'assurer que la phrase soit syntaxiquement correcte.

### 4ᵉ activité    Le commentaire

Rédiger un commentaire qui établit un lien entre la citation choisie et l'idée secondaire formulée. Expliquer dans ses mots la pertinence de son propos.

> **NOTE**
>
> Pour rédiger une réponse structurée, il est important d'utiliser des marqueurs de relation qui assurent le lien entre les idées, et des organisateurs textuels qui marquent les transitions entre les parties du texte.
> (Voir l'annexe à la fin du cahier.)

### 5ᵉ activité    La phrase de conclusion ou de rappel (la dernière phrase de la réponse)

Ajouter une phrase de conclusion rappelant l'idée principale que vous avez développée. Cette phrase indique au lecteur que la réponse est complète.

Voici deux exemples de réponse à la question de compréhension :
**Que ressent la fée sur terre ?**

---

**E X E M P L E 1**

**a)** La fée est mécontente sur terre. / **b)** En effet , la fée s'est rendu compte que les êtres humains sont cupides. / **c)** Dans sa grande générosité, elle « offre la beauté [...]¹, le courage [...]¹, [et]² la santé [...]¹, enfin tout ce qu'une bonne fée peut offrir de bon aux humains, et tous [la]³ refusent. » (lignes 7 à 9) / **d)** Ces dons ne comblent pas les gens et ne les rendent pas heureux, car ils ne satisfont pas leurs besoins ou leurs désirs. / **e)** En somme , la bonne fée est déçue par la race humaine qui n'apprécie pas ce qu'elle leur offre.

*a) Idée principale* _____

*b) Idée secondaire* _____

*c) Citation* _____

*d) Commentaire* _____

*e) Phrase de conclusion* _____

---

## EXEMPLE 2

La fée n'est pas heureuse sur terre. En effet, elle trouve les êtres _____
humains très matérialistes. Ceux-ci ne convoitent que « l'or et [...]⁴ _____
l'argent » (ligne 10). Les ressources financières les réjouissent et ils _____
n'exigent rien d'autre. Bref, la fée ne souhaite pas rester parmi ces _____
gens pour qui seule la richesse compte. _____

_____

**Voici les changements apportés aux phrases tirées du texte :**

1  [...] → omission de trois groupes de mots : *aux jeunes filles, aux jeunes gens, aux malades* ;

2  [et] → ajout d'un mot ;

3  [la] → changement du pronom : *tous **me** refusent* ;

4  [...] → omission de la préposition « de » : *l'or et **de** l'argent.*

## EXERCICE

**2.** Procédez de la façon suivante pour l'exemple 2 :

**a)** Séparez les éléments de la réponse par des barres obliques.

**b)** Indiquez les différentes parties de la réponse dans la colonne de droite.

**c)** Encadrez les organisateurs textuels.

# EXERCICES SUR LE TEXTE « L'HÉRITAGE DE GÉRARD »

## Le survol : Lecture rapide et étude du vocabulaire (théorie présentée dans le chapitre 1)

**1.** Expliquez le sens contextuel des mots soulignés ci-dessous. Au besoin, consultez un dictionnaire.

**a)** le cadet se nommait Gérard (ligne 2) :

_____

**b)** il employa les quelques rentes (ligne 7) :

_____

**c)** pendre la crémaillère (ligne 32) :

_____

**d)** la tête un peu échauffée (ligne 38) :

_____

**e)** un bruit infernal (ligne 42) :

_____

**f)** voix <u>caverneuse</u> (ligne 53) :

_____

**g)** <u>torche de résine</u> (ligne 75) :

_____

**h)** porte <u>bardée</u> de fer (ligne 78) :

_____

**i)** ce château <u>maudit</u> (ligne 101) :

_____

**j)** <u>desceller</u> la pierre (ligne 113) :

_____

## La lecture attentive et le résumé
## (théorie présentée dans le chapitre 2)

**2.** Divisez le conte en parties et résumez-le en une centaine de mots.

_____

_____

_____

_____

_____

_____

_____

_____

_____

_____

_____

_____

_____

_____

_____

_____

_____

Nombre de mots _____

# La lecture approfondie et la reprise de l'information

**3.** La reprise de l'information

**a)** Relevez les groupes nominaux qui reprennent le mot « château ».

_____

_____

_____

**b)** Relevez les groupes nominaux qui reprennent le mot « squelette ».

_____

_____

_____

**c)** Encadrez le mot ou le groupe de mots qui reprend l'information de chacun des mots soulignés.

   i.   <u>Gérard</u> a vu le fantôme. Il n'a pas eu peur.

   ii.   J'ai plusieurs <u>châteaux</u>. Puisque j'en ai trois autres, je peux bien te donner celui-là.

   iii.   Le château était rempli de <u>meubles</u> magnifiques et personne n'avait réclamé ce riche mobilier.

   iv.   Tout à coup <u>minuit</u> vint à sonner. Au même instant, on entendit un bruit infernal.

   v.   Ne quittez pas le <u>château</u>. J'aurai besoin de vous pour faire témoignage de tout ce que vous aurez vu ici.

   vi.   <u>Le château</u>, avec tout ce qui s'y trouvait, appartenait à Gérard.

   vii.   <u>Il</u> était jeune et gai. Il employa ses rentes. Bientôt, il eut dépensé tout ce qu'il possédait.

   viii.   – <u>As-tu peur</u>, <u>Gérard</u>? As-tu peur?
               – Non, répondit Gérard.

**4.** Le repérage de citations dans le texte

Qui est le personnage principal? Quels indices le prouvent?

_____

_____

_____

_____

**5.** Relevez une phrase qui montre que les amis de Gérard sont troublés.

_____

_____

**6.** Relevez une phrase ou une expression qui confirme que les amis de Gérard veulent quitter le château.

_____

_____

_____

**7.** Question de compréhension

Répondez à la question suivante en formulant une réponse complète dans laquelle il y aura au moins une citation. Au besoin, reportez-vous au modèle de l'extrait « La dernière fée », étapes 1 à 3.

> **Pour quelle raison Gérard veut-il que ses amis restent avec lui ?**

### 1re étape : Comprendre la question posée

1re activité : Soulignez les mots clés de la question dans l'encadré ci-dessus.

### 2e étape : Trouver les éléments de réponse dans le texte

1re activité : Lisez le texte et surlignez les citations qui pourraient servir à appuyer la réponse.

2e activité : À partir des citations, déduisez les idées secondaires qui permettent de développer l'idée principale de la réponse et formulez-les.

Formulez les idées secondaires à partir des citations ci-dessous tirées de l'extrait. Certaines de ces citations peuvent-elles être regroupées sous une même idée secondaire ?

| CITATIONS | IDÉES SECONDAIRES |
|---|---|
| • « Il employa les quelques rentes qui lui avaient été attribuées à s'amuser avec ses amis [...] » (lignes 6-7) | _____ _____ |
| • « [...] le jeune homme courut inviter deux de ses amis intimes pour venir avec lui pendre la crémaillère dans son nouveau château. » (lignes 31 à 33) | _____ _____ _____ |
| • « Enfin ils se mirent à table et burent tous trois de telle sorte qu'ils eurent la tête un peu échauffée. Et ils jouèrent aux cartes. » (lignes 37 à 39) | _____ _____ _____ |
| • « Restez avec moi, leur dit-il, car nous ne nous quitterons plus désormais, et j'aurai besoin de vous pour faire témoignage de tout ce que vous aurez vu ici. » (lignes 103 à 105) | _____ _____ _____ |

### 3e étape : Répondre à la question posée

1re activité : À l'aide des idées secondaires formulées à l'étape 2, répondez en une seule phrase à la question posée. Formulez l'idée principale en reprenant les mots clés de la question et en y répondant.

_____

_____

Pour les activités 2 à 5, écrivez sur les lignes ci-dessous.

2e activité : Pour développer votre idée principale, choisissez une idée secondaire parmi celles que vous avez énoncées dans le tableau à la page 37.

3e activité : Récrivez la citation ou une partie de la citation dans une phrase. Vous pouvez introduire ou intégrer la citation, mais il faut que la syntaxe de la phrase soit correcte.

4e activité : Commentez la citation afin d'en justifier la pertinence dans vos mots.

5e activité : Pour conclure, formulez une phrase qui rappelle l'idée principale.

> **NOTE**
> Assurez-vous d'inclure des organisateurs textuels dans votre réponse.

_____

_____

_____

_____

_____

_____

_____

_____

_____

_____

_____

_____

> **NOTE**
> L'idée principale peut aussi être formulée dans ces termes : Le frère de Gérard agit malhonnêtement en lui offrant le château.

**8.** Quelle est l'attitude du frère de Gérard lorsqu'il lui parle du château qu'il lui offre en cadeau ?

L'idée principale de la réponse à cette question est déjà formulée. Il ne vous reste plus qu'à compléter la réponse en suivant les trois étapes étudiées. Vous pouvez utiliser une feuille pour écrire votre réponse au brouillon avant de la transcrire.

**Le frère de Gérard ment à ce dernier lorsqu'il lui parle du château dont il lui fait cadeau. En effet,**

_____

_____

_____

_____

_____

_____

**9.** Gérard est-il aussi ivre que ses amis? Formulez une réponse complète.

_____

_____

_____

_____

_____

**10.** Gérard a-t-il peur du fantôme? Formulez une réponse complète.

_____

_____

_____

_____

_____

## ENRICHIR LE VOCABULAIRE

1. Dans les phrases suivantes, remplacez le verbe *mettre* par un verbe plus précis.

> **E X E M P L E**
>
> *Les soldats ont pu **mettre** le désordre dans le rang de l'ennemi.*
> *Les soldats ont pu **jeter** le désordre dans le rang de l'ennemi.*

a) La communauté [*met*] sur cette athlète de hautes espérances.

_____

b) Cet enfant turbulent [*met*] la patience de ses parents à bout.

_____

**c)** Un journaliste prometteur sait [*mettre*] sa marque sur le sujet le plus banal.

_____

**d)** Cet ébéniste [*met*] beaucoup de temps pour restaurer un meuble d'époque.

_____

**e)** Il a [*mis*] le nom de son frère sur la liste des concurrents.

_____

**f)** Quel événement a pu vous [*mettre*] dans cette colère noire ?

_____

**2.** **Dans les phrases suivantes, remplacez le verbe *dire* par un verbe plus précis.**

**EXEMPLE**

*Ce commerçant **dit** qu'il a trompé ses clients.*
*Ce commerçant **avoue** qu'il a trompé ses clients.*

**a)** Le voleur [*dit*] toutes ses fraudes à la police.

_____

**b)** Ces fouilles [*disent*] tous les secrets d'une ancienne civilisation.

_____

**c)** Cette fille ne [*dit*] ses chagrins qu'à sa mère.

_____

**d)** Il vient [*dire*] un événement qui surprendra toute la population.

_____

**e)** Elle a [*dit*] des sottises en racontant son histoire.

_____

**f)** La lecture de ce livre ne me [*dit*] rien.

_____

**La formation des mots**

**3. Regardez attentivement les mots suivants et commentez le sens des mots formés d'un préfixe.**

**a)** • un château _in_habité
 • ce cadeau _in_espéré
 • avec _in_quiétude
 • des richesses _in_comparables
 • un prix _in_estimable

Que marque le préfixe _in-_?

_____

_____

**b)** • il _r_aviva sa torche
 • il _re_monta tranquillement _re_trouver ses amis
 • ils n'avaient pas _re_pris connaissance
 • il les _r_anima

Que marque le préfixe _re-_?

_____

_____

**c)** Ajoutez un préfixe aux mots suivants et expliquez le sens des nouveaux mots ainsi formés.

 • occupé :

_____

 • donner :

_____

 • expliqué :

_____

 • venir :

_____

 • certain :

_____

# RÉDIGER UN PARAGRAPHE    CHAPITRE 4

Dans les chapitres précédents, vous avez appris à faire une lecture méthodique d'un texte et à en étudier le vocabulaire. Vous avez aussi appris à raffiner la compréhension d'un texte à l'aide d'un résumé. De plus, vous avez découvert une méthode pour comprendre le sens exact d'une question et y répondre de façon structurée. Toutes ces étapes vous permettront d'atteindre l'objectif du présent chapitre : rédiger un paragraphe cohérent. Pour vous acquitter de cette tâche, vous mettrez en application les connaissances acquises en rédaction et en vocabulaire et vous reverrez les notions relatives à la cohérence textuelle : la reprise de l'information et les organisateurs textuels.

## ◎ TEXTE À L'ÉTUDE ◎

Roch Carrier a écrit des œuvres en tous genres. Sa pièce *La guerre, yes sir!* a été jouée en Europe lors d'une tournée du TNM. Il est aussi l'auteur du scénario du film *Le Martien de Noël* dans lequel on peut admirer des scènes du Québec sous la neige. Roch Carrier est surtout connu pour ses nombreux contes et romans. Le texte qui suit est tiré de son recueil de contes, *Les enfants du bonhomme dans la lune*, publié aux Éditions Stanké, dans lequel il parle de l'enfance et du hockey, le sport préféré des Québécois depuis des décennies.

### Une abominable feuille d'érable sur la glace

▷ Annotations

Les hivers de mon enfance étaient des saisons longues, longues. Nous vivions en trois lieux : l'école, l'église et la patinoire ; mais la vraie vie était sur la patinoire. Les vrais combats se gagnaient sur la patinoire. La vraie force apparaissait
5 sur la patinoire. Les vrais chefs se manifestaient sur la patinoire. L'école était une sorte de punition. Les parents ont toujours envie de punir les enfants et l'école était leur façon la plus naturelle de nous punir. De plus, l'école était un endroit tranquille où l'on pouvait préparer les prochaines parties de
10 hockey, dessiner les prochaines stratégies. Quant à l'église, nous trouvions là le repos de Dieu : on y oubliait l'école et l'on rêvait à la prochaine partie de hockey. À travers nos rêveries, il nous arrivait de réciter une prière : c'était pour demander à Dieu de nous aider à jouer aussi bien que Maurice Richard.

15 Tous, nous portions le même costume que lui, ce costume rouge, blanc, bleu des Canadiens de Montréal, la meilleure équipe de hockey au monde ; tous, nous peignions nos cheveux à la manière de Maurice Richard et, pour les tenir en

place, nous utilisions une sorte de colle, beaucoup de colle.
20 Nous lacions nos patins à la manière de Maurice Richard, nous
mettions le ruban gommé sur nos bâtons à la manière de
Maurice Richard. Nous découpions dans les journaux toutes
ses photographies. Vraiment nous savions tout à son sujet.

Sur la glace, au coup de sifflet de l'arbitre, les deux équipes
25 s'élançaient sur le disque de caoutchouc; nous étions cinq
Maurice Richard contre cinq autres Maurice Richard à qui
nous arrachions le disque; nous étions dix joueurs qui portions, avec le même brûlant enthousiasme, l'uniforme des
Canadiens de Montréal. Tous nous arborions au dos le très
30 célèbre numéro 9.

Un jour, mon chandail des Canadiens de Montréal était
devenu trop étroit; puis il était déchiré ici et là, troué. Ma mère
me dit : « Avec ce vieux chandail, tu vas nous faire passer pour
pauvres! » Elle fit ce qu'elle faisait chaque fois que nous avions
35 besoin de vêtements. Elle commença de feuilleter le catalogue
que la compagnie Eaton nous envoyait par la poste chaque
année. Ma mère était fière. Elle n'a jamais voulu nous habiller
au magasin général; seule pouvait nous convenir la dernière
mode du catalogue Eaton. Ma mère n'aimait pas les formules
40 de commande incluses dans le catalogue; elles étaient écrites
en anglais et elle n'y comprenait rien. Pour commander mon
chandail de hockey, elle fit ce qu'elle faisait d'habitude; elle
prit son papier à lettres et elle écrivit de sa douce calligraphie
d'institutrice : « Cher Monsieur Eaton, auriez-vous l'amabilité
45 de m'envoyer un chandail de hockey des Canadiens pour mon
garçon qui a dix ans et qui est un peu trop grand pour son âge,
et que le docteur Robitaille trouve un peu trop maigre? Je vous
envoie trois piastres et retournez-moi le reste s'il en reste.
J'espère que votre emballage va être mieux fait que la dernière
50 fois. »

Monsieur Eaton répondit rapidement à la lettre de ma mère.
Deux semaines plus tard, nous recevions le chandail. Ce jour-
là, j'eus l'une des plus grandes déceptions de ma vie! Je puis
dire que j'ai, ce jour-là, connu une très grande tristesse. Au lieu
55 du chandail bleu, blanc, rouge des Canadiens de Montréal,
M. Eaton nous avait envoyé un chandail bleu et blanc, avec la
feuille d'érable au devant, le chandail des Maple Leafs de
Toronto. J'avais toujours porté le chandail bleu, blanc, rouge
des Canadiens de Montréal; tous mes amis portaient le
60 chandail bleu, blanc, rouge; jamais, dans mon village, quelqu'un n'avait porté le chandail de Toronto, jamais on n'y avait
vu un chandail des Maple Leafs de Toronto. De plus, l'équipe
de Toronto se faisait terrasser régulièrement par les triom-
phants Canadiens. Les larmes aux yeux, je trouvai assez de
65 force pour dire :

– J' porterai jamais cet uniforme-là.

– Mon garçon, tu vas d'abord l'essayer ! Si tu te fais une idée sur les choses avant de les essayer, mon garçon, tu n'iras pas loin dans la vie…

70 Ma mère m'avait enfoncé sur les épaules le chandail bleu et blanc des Maple Leafs de Toronto et, déjà, j'avais les bras enfilés dans les manches. Elle tira le chandail sur moi et s'appliqua à aplatir tous les plis de cette abominable feuille d'érable sur laquelle, en pleine poitrine, étaient écrits les mots Toronto
75 Maple Leafs. Je pleurais.

– J' pourrai jamais porter ça.

– Pourquoi ? Ce chandail-là te va bien… Comme un gant…

– Maurice Richard se mettrait jamais ça sur le dos…

– T'es pas Maurice Richard. Puis, c'est pas ce qu'on se met
80 sur le dos qui compte, c'est ce qu'on se met dans la tête…

– Vous me mettrez pas dans la tête de porter le chandail des Maple Leafs de Toronto.

Ma mère eut un gros soupir désespéré et elle m'expliqua :

– Si tu gardes pas ce chandail qui te fait bien, il va falloir que
85 j'écrive à M. Eaton pour lui expliquer que tu veux pas porter le chandail de Toronto. M. Eaton, c'est un Anglais ; il va être insulté parce que lui, il aime les Maple Leafs de Toronto. S'il est insulté, penses-tu qu'il va nous répondre très vite ? Le printemps va arriver et tu auras pas joué une seule partie parce que
90 tu auras pas voulu porter le beau chandail bleu que tu as sur le dos.

Je fus donc obligé de porter le chandail des Maple Leafs. Quand j'arrivai à la patinoire avec ce chandail, tous les Maurice Richard en bleu, blanc, rouge s'approchèrent un à un
95 pour regarder ça. Au coup de sifflet de l'arbitre, je partis prendre mon poste habituel. Le chef d'équipe vint me prévenir que je ferais plutôt partie de la deuxième ligne d'attaque. Quelques minutes plus tard, la deuxième ligne fut appelée ; je sautai sur la glace. Le chandail des Maple Leafs pesait sur mes épaules
100 comme une montagne. Le chef d'équipe vint me dire d'attendre ; il aurait besoin de moi à la défense, plus tard. À la troisième période, je n'avais pas encore joué ; un des joueurs de défense reçut un coup de bâton sur le nez, il saignait ; je sautai sur la glace : mon heure était venue ! L'arbitre siffla ; il m'infligea
105 une punition. Il prétendait que j'avais sauté sur la glace quand il y avait encore cinq joueurs. C'en était trop ! C'était trop injuste !

C'est de la persécution ! C'est à cause de mon chandail bleu ! Je frappai mon bâton sur la glace si fort qu'il se brisa. Soulagé,

je me penchai pour ramasser les débris. Me relevant, je vis le
jeune vicaire, en patins, devant moi :

– Mon enfant, ce n'est pas parce que tu as un petit chandail
neuf des Maple Leafs de Toronto, au contraire des autres, que
tu vas nous faire la loi. Un bon jeune homme ne se met pas en
colère. Enlève tes patins et va à l'église demander pardon à
Dieu.

Avec mon chandail des Maple Leafs de Toronto, je me rendis
à l'église, je priai Dieu; je lui demandai qu'il envoie au plus
vite des mites qui viendraient dévorer mon chandail des
Maple Leafs de Toronto.

Roch Carrier, *Les enfants du bonhomme dans la lune*, © Éditions Stanké, 2000.

# EXERCICES SUR LE TEXTE « UNE ABOMINABLE FEUILLE D'ÉRABLE SUR LA GLACE »

## Le contexte de l'énonciation

1. Après avoir fait le survol du texte « Une abominable feuille d'érable sur la glace » de Roch Carrier, c'est-à-dire après l'avoir lu et en avoir étudié le vocabulaire, vous êtes en mesure de situer le contexte d'énonciation, tel qu'il est défini dans le chapitre 1, à la page 5. Répondez aux questions suivantes.

a) Où l'action se déroule-t-elle ?

b) Quand l'action se déroule-t-elle ?

c) Qui est le narrateur ?

d) À qui le narrateur s'adresse-t-il ?

# La cohérence textuelle : la reprise de l'information

 La reprise de l'information consiste à reprendre, dans des termes différents (mots ou groupes de mots), des éléments d'information présentés dans un texte. Ce procédé, qui assure la cohérence textuelle, est expliqué dans le chapitre 2, à la page 20.

**2.** Dans les phrases suivantes, repérez les substituts des éléments d'information, c'est-à-dire les mots ou les groupes de mots qui reprennent ces éléments, puis transcrivez-les et précisez le procédé utilisé.

**EXEMPLE**

Ma mère n'aimait pas les formules de commande incluses dans le catalogue ; elles étaient écrites en anglais et elle n'y comprenait rien.

| ÉLÉMENT D'INFORMATION | REPRISE DE L'INFORMATION ET PROCÉDÉ UTILISÉ |
|---|---|
| Ma mère | elle (pronom) |
| les formules de commande | elles (pronom) |
| | y (pronom) |
| | |

**a)** Les hivers de mon enfance étaient des saisons longues, longues. Nous vivions en trois lieux : l'école, l'église et la patinoire.

| ÉLÉMENT D'INFORMATION | REPRISE DE L'INFORMATION ET PROCÉDÉ UTILISÉ |
|---|---|
| | |
| | |
| | |
| | |

**b)** Quant à l'église, nous trouvions là le repos de Dieu : on y oubliait l'école et l'on rêvait à la prochaine partie de hockey.

| ÉLÉMENT D'INFORMATION | REPRISE DE L'INFORMATION ET PROCÉDÉ UTILISÉ |
|---|---|
| | |
| | |
| | |
| | |

c) Tous, <u>nous</u> portions <u>le même costume</u> que lui, ce costume rouge, blanc, bleu <u>des Canadiens de Montréal</u>, la meilleure équipe de hockey au monde.

| ÉLÉMENT D'INFORMATION | REPRISE DE L'INFORMATION ET PROCÉDÉ UTILISÉ |
|---|---|
| | |
| | |
| | |
| | |

d) Pour les Québécois d'aujourd'hui, <u>le mot *habitant*</u> n'a pas une connotation très positive. En effet, il désigne un être rustre, grossier, sans éducation ni savoir-vivre [...]. Alors pourquoi avoir choisi ce mot pour désigner une équipe sportive [...]? Tout simplement parce qu'au début du siècle, le mot *habitant* n'avait pas du tout <u>la même signification</u> que celle qu'on lui attribue aujourd'hui [...] ce mot servait jadis à désigner le cultivateur et avait une connotation tout à fait positive au sein de la collectivité québécoise, majoritairement rurale.

Élisabeth Laflamme, « Go Habs Go ! Les Habitants : plus qu'un surnom, une légende ! », © *Québec français*, n° 129 (printemps 2003).

| ÉLÉMENT D'INFORMATION | REPRISE DE L'INFORMATION ET PROCÉDÉ UTILISÉ |
|---|---|
| | |
| | |
| | |
| | |
| | |
| | |

e) <u>Denise</u> hocha la tête. Elle avait passé deux ans là-bas, <u>chez Cornaille</u>, le premier marchand de nouveautés de la ville ; et ce magasin, rencontré brusquement, cette maison énorme pour elle, lui gonflait le cœur, la retenait, émue, intéressée, oublieuse du reste.

Émile Zola, *Au bonheur des dames*, 1883.

| ÉLÉMENT D'INFORMATION | REPRISE DE L'INFORMATION ET PROCÉDÉ UTILISÉ |
|---|---|
| | |
| | |
| | |
| | |
| | |

## Les citations

Dans toute réponse, courte ou longue, à une question de compréhension portant sur un texte, il faut inclure une ou plusieurs citations pour illustrer l'idée secondaire. On peut introduire les citations à l'aide d'une phrase ou les intégrer dans une phrase en respectant la syntaxe. Il ne faut pas oublier d'utiliser les signes tels les guillemets, les parenthèses et les crochets dans les citations. Au besoin, reportez-vous au chapitre 3, à la page 32. Le choix des citations requiert une lecture approfondie du texte.

---

**EXEMPLE**

**Citation introduite :**
Le nouveau chandail ne porte pas chance au narrateur : « À la troisième période, je n'avais pas encore joué », dit-il. (lignes 101-102)

**Citation intégrée :**
Le nouveau chandail ne porte pas chance au narrateur, puisqu'à « la troisième période, [il] n'avai[t] pas encore joué ». (lignes 101-102)

---

**3.** Corrigez les citations intégrées dans les phrases suivantes.

**a)** La mère du narrateur avait une façon bien spéciale de commander les nouveaux vêtements. Elle écrivait à M. Eaton « de m'envoyer un chandail de hockey des Canadiens pour mon garçon ». (lignes 45-46)

_____

_____

_____

**b)** Le narrateur éprouve de la colère puisqu'on refuse de le laisser jouer. Ne pouvant plus endurer la situation, « Je frappai mon bâton sur la glace si fort qu'il se brisa. » (ligne 109)

_____

_____

_____

**4.** Transformez les citations introduites dans les phrases suivantes en citations intégrées, en apportant les modifications nécessaires.

**a)** Les jeunes du village partagent tous une passion pour la même équipe de hockey : « nous étions dix joueurs qui portions, avec le même brûlant enthousiasme, l'uniforme des Canadiens de Montréal. » (lignes 27 à 29)

_____

_____

_____

**b)** Le vicaire, tout comme ses paroissiens, est déçu qu'un enfant porte un chandail différent et ordonne au jeune : « Enlève tes patins et va à l'église demander pardon à Dieu. » (lignes 115-116)

_____

_____

_____

_____

# LA RÉDACTION D'UN PARAGRAPHE

Dans le chapitre 3, vous avez appris à répondre à une question de compréhension. Vous suivrez la même méthode pour rédiger un paragraphe sur un sujet se rattachant à un texte. Le sujet est en quelque sorte une question de compréhension à développement plus long dont la réponse s'organise en un paragraphe. La structure du paragraphe peut varier. Dans cet ouvrage, le paragraphe est un texte compris entre deux alinéas, qui présente une idée principale au début, développée par des idées secondaires. Il est suggéré de présenter au moins deux idées secondaires, illustrées et commentées, pour soutenir l'idée principale, et de terminer le paragraphe par une conclusion. Pour rédiger le paragraphe, vous suivrez les mêmes étapes que celles étudiées dans le chapitre 3.

> **NOTE**
> Le contenu d'un paragraphe respecte une cohérence de sens.

## 1ʳᵉ étape : Comprendre le sujet de rédaction

Le sujet comprend :
- la consigne de rédaction présentée par un verbe à l'impératif ou à l'infinitif ;
- des précisions sur les éléments à respecter, par exemple un paragraphe d'au moins 200 mots incluant des citations tirées de l'extrait ;
- le libellé du sujet, c'est-à-dire les aspects à développer. Pour bien comprendre le sujet, procédez de la façon suivante :
  - soulignez tous les mots clés (mots importants ou essentiels à la compréhension du sujet) ;
  - séparez par une barre oblique chaque élément d'information (groupe de mots qui constitue une unité d'information) pour que tous les aspects du sujet soient développés.

## LE SUJET

> Dans un paragraphe d'au moins 200 mots et à l'aide de citations tirées du texte « Une abominable feuille d'érable sur la glace » de Roch Carrier, montrez que le fils et la mère n'ont pas la même compréhension de l'importance d'un chandail de hockey.

## EXERCICES

1. Dans l'encadré ci-dessus :

   a) Soulignez les mots clés.

   b) Encadrez le verbe de la consigne de rédaction.

   c) Séparez par une barre oblique chaque élément d'information à développer.

2. Cherchez dans le dictionnaire le sens contextuel des mots difficiles du sujet.

   _____

   _____

   _____

   _____

3. Sur quel aspect précis le sujet porte-t-il?

   _____

   _____

   _____

   _____

## 2ᵉ étape : Trouver les éléments de réponse dans le texte à l'étude

### 1ʳᵉ activité  Les citations

Munissez-vous d'un marqueur pour faire une lecture approfondie. Vous pourrez ainsi surligner les citations qui serviront à appuyer les idées à développer.

### 2ᵉ activité  Les idées secondaires

## EXERCICE

**4.** Trouvez les éléments de réponse dans le texte.

**a)** Dans la colonne de gauche, écrivez les citations textuellement et mettez-les entre guillemets. Indiquez entre parenthèses la ou les lignes où se trouve le passage cité.

| CITATIONS | IDÉES SECONDAIRES OU DÉDUCTIONS FAITES À PARTIR DES CITATIONS |
|---|---|
| | |
| | |
| | |
| | |
| | |

**b)** À partir des citations relevées, écrivez dans la colonne de droite les idées secondaires que vous pouvez déduire et qui permettent de développer l'idée principale de la réponse.

# 3ᵉ étape : Développer le sujet de rédaction

**1ʳᵉ activité** L'idée principale (la première phrase de la réponse)

## EXERCICE

**5.** Pour énoncer l'idée principale du paragraphe, reprenez le libellé du sujet et présentez le cœur du sujet dans une phrase complète.

_____

_____

_____

_____

_____

_____

**2ᵉ activité** Les idées secondaires

## EXERCICE

**6.** Avant de rédiger votre paragraphe, nous vous suggérons d'en dresser le plan. Il s'agit d'organiser l'idée principale et les idées secondaires en fonction des citations choisies.

Dressez le plan de votre paragraphe dans les espaces ci-dessous.

> **NOTE**
> Le plan permet de vérifier la pertinence des idées secondaires en fonction de l'idée principale. De plus, il vous évite de faire un brouillon qui, souvent, ne vous laisse plus assez de temps pour réviser votre texte.

| Idée principale |
| --- |
| _____ |
| _____ |

### 1ʳᵉ idée secondaire

_____

_____

### 2ᵉ idée secondaire

_____

_____

Ces idées secondaires, déduites des citations, développent-elles l'idée principale ?

**3ᵉ activité** **La citation**

- La citation doit être suivie de la référence (la ou les lignes où se trouve la citation dans l'extrait).
- Elle ne doit pas allonger inutilement la réponse.
- Dans la citation, toute modification est présentée entre crochets [ ] et toute partie retranchée est représentée par des points de suspension entre crochets [...].

## EXERCICE

**7.** Dans le texte de Roch Carrier, relevez une citation à l'appui de chacune des idées secondaires suivantes.

**a) Citation introduite**

Pour la mère, l'apparence est importante. Elle dit alors à son fils :

_____

_____

_____

_____

_____

_____

_____

_____

_____

**b) Citation intégrée**

Pour la mère, l'apparence est importante. Ainsi, elle dira à son fils

_____

_____

_____

_____

_____

_____

_____

_____

_____

### c) Citation introduite

Pour le narrateur et ses amis, le plus important est d'imiter leur idole, Maurice Richard. Ainsi, il avoue :

_____

_____

_____

_____

_____

_____

_____

_____

_____

_____

_____

### d) Citation intégrée

Pour le narrateur et ses amis, le plus important est d'imiter leur idole, Maurice Richard. Ainsi, tous les joueurs

_____

_____

_____

_____

_____

_____

_____

_____

_____

_____

**4ᵉ activité** **Le commentaire**

N'oubliez pas qu'il faut toujours expliquer ou commenter la pertinence des citations en fonction de l'idée secondaire présentée.

**5ᵉ activité** **La phrase de conclusion**

Il faut conclure le développement en formulant une phrase qui fait la synthèse des idées secondaires présentées dans le paragraphe et qui rappelle l'idée principale.

Les 4ᵉ et 5ᵉ activités sont illustrées dans l'exemple qui suit.

## EXEMPLE

### Exemple de développement d'un paragraphe sur le sujet suivant :

Dans un paragraphe d'au moins 200 mots et à l'aide de citations tirées du texte « Une abominable feuille d'érable sur la glace » de Roch Carrier, montrez que le fils et la mère n'ont pas la même compréhension de l'importance d'un chandail de hockey.

*Reprise du libellé du sujet et présentation de l'idée principale.*

*1<sup>re</sup> idée secondaire qui développe l'idée principale. Citations qui justifient l'idée secondaire déduite, suivies du commentaire qui les explique.*

*2<sup>e</sup> idée secondaire qui développe l'idée principale. Citations qui justifient l'idée secondaire déduite, suivies du commentaire qui les explique.*

*Conclusion du paragraphe : synthèse des idées secondaires et rappel de l'idée principale.*

Malgré son évidente utilité, un chandail de hockey peut devenir une source de conflits entre une mère et son fils. Dans le texte de Roch Carrier, ces deux personnes ont une compréhension totalement différente de l'importance d'un tel chandail. En effet, pour la mère, le chandail n'est qu'une pièce de vêtement parmi d'autres, qu'il représente les Canadiens de Montréal ou les Maple Leafs de Toronto. L'important pour elle est que son fils paraisse bien vêtu. Il ne doit pas « [les] faire passer pour pauvres ! ». (lignes 33-34) C'est une femme « fière ». (ligne 37) Un chandail en bon état indique que les parents prennent soin de leur enfant. En outre, cette mère « n'a jamais voulu [les] habiller au magasin général ». (lignes 37-38) En commandant les vêtements par catalogue, elle veille au statut social de sa famille. Cependant, pour le narrateur, l'importance d'un chandail de hockey est tout autre. Il est le symbole d'appartenance à une équipe spécifique qui est, pour lui, « la meilleure équipe de hockey au monde ». (lignes 16-17) De plus, comme il n'y a qu'une dizaine de joueurs qui « arbor[ent] au dos le très célèbre numéro 9 » (lignes 29-30), l'équipe est comme un club sélect et fermé qui fait la fierté de ses joueurs. Ainsi, pour le narrateur et ses amis, le plus important est d'imiter leur idole Maurice Richard, dont le nom est omniprésent dans le texte. En somme, on voit bien que ce chandail a deux significations complètement différentes. Pour le fils, il symbolise l'appartenance à une équipe et le désir de suivre le modèle du meilleur athlète québécois tandis que pour la mère, seule une apparence impeccable est importante, car elle reflète le statut social.

Environ 285 mots

## EXERCICES

**8.** Dans le passage suivant, indiquez si les parties numérotées se rapportent à une idée secondaire, à une citation ou à un commentaire.

En effet, pour la mère, le chandail n'est qu'une pièce de vêtement parmi d'autres, qu'il représente les Canadiens de Montréal ou les Maple Leafs de Toronto. L'important pour elle est que son fils paraisse bien vêtu. /**1** Il ne doit pas « [les] faire passer pour pauvres ! ». (lignes 33-34) C'est une femme « fière ». (ligne 37) /**2**

**1** _____

**2** _____

Un chandail en bon état indique que les parents prennent soin de leur enfant. /**3** En outre, cette mère « n'a jamais voulu [les] habiller au magasin général ». (lignes 37-38) /**4** En commandant les vêtements par catalogue, elle veille au statut social de sa famille. /**5**

**3** _____

**4** _____

**5** _____

**9.** Dans la conclusion suivante, indiquez à quoi correspondent les trois éléments numérotés.

En somme, /**1** on voit bien que ce chandail a deux significations complètement différentes. /**2** Pour le fils, il symbolise l'appartenance à une équipe et le désir de suivre le modèle du meilleur athlète québécois tandis que pour la mère, seule une apparence impeccable est importante, car elle reflète le statut social. /**3**

**1** _____

**2** _____

**3** _____

**10.** Rédigez un paragraphe sur le sujet suivant.

**LE SUJET**

> Dans un paragraphe d'au moins 200 mots et à l'aide de citations tirées du texte « Une abominable feuille d'érable sur la glace » de Roch Carrier, montrez l'importance accordée au costume porté par les joueurs de hockey.

### 1<sup>re</sup> étape : Comprendre le sujet de rédaction

Procédez de la façon suivante :

- soulignez les mots clés ;
- séparez les éléments d'information par des barres obliques.

### 2<sup>e</sup> étape : Trouver les éléments de réponse dans le texte « Une abominable feuille d'érable sur la glace »

Surlignez les citations.
Dans la marge de l'extrait, déduisez les idées secondaires à partir des citations choisies.

**NOTE**

La 2<sup>e</sup> étape peut se faire à même le texte pour éviter d'avoir à transcrire les citations.

### 3ᵉ étape : Développer le sujet de rédaction

Avant de rédiger votre paragraphe, dressez-en le plan pour vérifier la pertinence de vos idées secondaires.

| Idée principale |
|---|
| _____ |
| _____ |

**1ʳᵉ idée secondaire**

_____

_____

**2ᵉ idée secondaire**

_____

_____

Ces idées secondaires, déduites des citations, développent-elles l'idée principale?

Sur les lignes qui suivent, développez le sujet dans un paragraphe et indiquez dans la marge les parties qui le composent (idée principale, idées secondaires, citations, commentaires, conclusion).

_____    _____
_____    _____
_____    _____
_____    _____
_____    _____
_____    _____
_____    _____
_____    _____
_____    _____
_____    _____
_____    _____
_____    _____
_____    _____

_____     _____
_____     _____
_____     _____
_____     _____
_____     _____
_____     _____
_____     _____
_____     _____

_____ mots

> **NOTE**
>
> N'oubliez pas de compter le nombre de mots contenus dans
> votre paragraphe afin d'avoir le nombre de mots requis.

**Vérifiez la rédaction de votre paragraphe en vous posant les questions suivantes :**

- L'idée principale reprend-elle le libellé de la question et est-elle formulée correctement ?
- Y a-t-il deux idées secondaires ?
- Les citations illustrent-elles les idées secondaires ?
- Les citations sont-elles toutes précédées ou suivies d'un commentaire ou d'une explication ?
- Le paragraphe se termine-t-il par une synthèse des idées secondaires et la reprise de l'idée principale ?
- Les phrases s'enchaînent-elles correctement ?
- Y a-t-il des répétitions inutiles ?
- Les fautes d'orthographe et de grammaire sont-elles corrigées ?

Vérifiez si les guillemets, les parenthèses et les crochets sont utilisés correctement dans votre paragraphe.

- Les guillemets signalent que des segments de phrases sont tirés du texte « Une abominable feuille d'érable sur la glace ».
- Les parenthèses indiquent à quelles lignes se trouvent les parties citées.
- Les crochets signifient qu'une partie de la citation a été modifiée. Ainsi, le scripteur peut, à l'intérieur de crochets, changer un mot ou une terminaison dans la citation, afin de respecter la syntaxe de sa phrase et de préserver la cohérence de son texte. Les changements les plus fréquents portent sur le temps ou la personne du verbe, et sur l'utilisation des pronoms et des déterminants.

## La cohérence textuelle : les organisateurs textuels

Les **organisateurs textuels** sont des mots, des groupes de mots ou des phrases qui délimitent les parties du texte ; ils annoncent un nouveau passage ou un paragraphe, ou encore ils introduisent un résumé ou une conclusion. Ils structurent le texte, assurent la transition entre les idées et facilitent la compréhension du texte. Il faut choisir l'organisateur textuel approprié en vérifiant sa valeur, c'est-à-dire le sens ou le lien qu'il établit pour assurer la cohérence (unité du sujet et absence de contradictions).

Quant aux **marqueurs de relation**, ils établissent les liens logiques, spatiaux et temporels entre les phrases ; ce sont des coordonnants et des subordonnants, qui relèvent de la grammaire de la phrase. Ces mots peuvent aussi servir d'**organisateurs textuels** lorsqu'ils assurent l'articulation d'un texte : transition entre les parties, progression des idées et conclusion. Le terme « **connecteurs** » désigne aussi bien les **marqueurs de relation** que les **organisateurs textuels**.

Voici quelques exemples d'organisateurs textuels :

- Les organisateurs logiques qui nuancent les énoncés (argumentation, explication, succession) : *donc, en effet, en terminant*, etc.
- Les organisateurs qui assurent des enchaînements spatiaux : *en haut, en face, d'un côté, plus loin*, etc.
- Les organisateurs qui assurent des enchaînements temporels : *aujourd'hui, hier, puis, depuis ce jour*, etc.

### NOTE

> Les marques linguistiques qui assurent l'organisation d'un texte sont généralement des adverbes, des groupes nominaux, des groupes prépositionnels ou des subordonnées circonstancielles de temps souvent détachés en début de phrase. Certains de ces organisateurs textuels n'ont aucune fonction dans la phrase, alors que d'autres ont la fonction de complément de phrase. (Voir l'annexe des organisateurs textuels à la fin du cahier.)

## EXERCICES

**1.** Précisez la valeur des organisateurs textuels encadrés dans les phrases suivantes.

### EXEMPLE

– Si nous étions riches, nous mangerions ce soir autre chose que cette maigre soupe de légumes !

– ⬛Mais⬛ nous ne sommes pas riches, répondait le petit vieux. ⬛Donc⬛ contentons-nous de cette soupe.

Yak Rivais, *Les contes du miroir* (collection Neuf), © l'école des loisirs, Paris, 1988.

| ORGANISATEURS TEXTUELS | VALEUR EXPRIMÉE |
|---|---|
| • Mais | *Argumentation* |
| • Donc | *Conclusion* |

**a)** Qu'elle était idiote d'avoir peur comme ça! ⬚Mais⬚ elle n'arrivait pas à rire de ses peurs. C'est qu'elle n'avait pas envie de mourir! Elle ne voulait pas mourir. ⬚Alors⬚ elle marchait encore plus vite, oubliant ses résolutions d'allure décontractée. ⬚Puis⬚ elle ralentit de nouveau.

Chrystine Brouillet, *Chère voisine*, Typo, 1993.
© 1993 Éditions Typo et Chrystine Brouillet.

| ORGANISATEURS TEXTUELS | VALEUR EXPRIMÉE |
|---|---|
| • Mais | |
| • Alors | |
| • Puis | |

**b)** J'allumai une bougie et j'allai vers la table où était posée ma carafe. Je la soulevai en la penchant sur mon verre; rien ne coula. – Elle était vide! Elle était vide complètement! ⬚D'abord⬚, je n'y compris rien; ⬚puis tout à coup⬚, je ressentis une émotion si terrible que je dus m'asseoir, ou plutôt, que je tombai sur une chaise! ⬚Puis⬚ je me redressai d'un saut pour regarder autour de moi!

Guy de Maupassant, *Le Horla*, 1887.

| ORGANISATEURS TEXTUELS | VALEUR EXPRIMÉE |
|---|---|
| • D'abord | |
| • puis tout à coup | |
| • Puis | |

**c)** ⬚Quelques instants après⬚, Michel Strogoff, traînant son cheval par la bride, arrivait à un petit bois de mélèzes, auquel la route donnait accès. ⬚Au-delà et en deçà⬚, complètement dégarnie d'arbres, elle se développait entre des fondrières et des étangs, que séparaient des buissons nains, faits d'ajoncs et de bruyères. ⬚Des deux côtés⬚, le terrain était donc absolument impraticable, et le détachement devait forcément passer devant ce petit bois, puisqu'il suivait le grand chemin d'Irkoutsk.

Jules Verne, *Michel Strogoff*, 1874-1875.

| ORGANISATEURS TEXTUELS | VALEUR EXPRIMÉE |
|---|---|
| • Quelques instants après | |
| • Au-delà et en deçà | |
| • Des deux côtés | |

**d)** [...] le phare commençait sa ronde et Elsa se sentait rassurée : tout était dans l'ordre, comme hier, comme demain. Mais chaque jour le phare s'allumait un peu plus tôt, il marquait un pas vers la rentrée des classes et le retour au pays gris et plat. Et, au fur et à mesure que la nuit montait, le phare devenait plus éclatant. Il pénétrait jusqu'à son lit, régulièrement comme une respiration de lumière.

Anne Philipe, *Un été près de la mer*, © Éditions Gallimard, 1977.

| ORGANISATEURS TEXTUELS | VALEUR EXPRIMÉE |
|---|---|
| • Mais | |
| • chaque jour | |
| • Et | |
| • au fur et à mesure que | |
| la nuit montait | |

**2.** Relevez les organisateurs textuels dans le paragraphe de la page 56 et précisez la valeur de chacun.

| ORGANISATEURS TEXTUELS | VALEUR EXPRIMÉE |
|---|---|
| • Malgré son évidente utilité | *Restriction* |
| • | |
| • | |
| • | |
| • | |
| • | |
| • | |
| • | |
| • | |
| • | |
| • | |

# ENRICHIR LE VOCABULAIRE

1. Dans les phrases suivantes, remplacez le verbe *voir* par un verbe plus précis.

> **E X E M P L E**
>
> *Voyez* la beauté de ce site.
> *Admirez* la beauté de ce site.

a) Ce biographe réputé [*voit*] bien le caractère de cet artiste.

_____

b) Tu ferais bien de [*voir*] quelques camarades de classe.

_____

c) Les policiers [*voient*] tous les indices qui permettent de retrouver la disparue.

_____

d) Il faut [*voir*] les conséquences négatives de cette décision.

_____

e) Après les plaidoiries, le juge [*voit*] enfin la réalité de ces événements.

_____

f) Ce commerçant ne [*voit*] aucun moyen pour s'en tirer sans trop de pertes.

_____

2. Dans les phrases suivantes, remplacez le terme *chose* par un mot plus précis.

> **E X E M P L E**
>
> *Un bon devoir de littérature est une **chose** ardue.*
> *Un bon devoir de littérature est une **tâche** ardue.*

a) Cet enquêteur a appris à la famille une [*chose*] très pénible.

_____

b) On n'a jamais contemplé dans un musée une [*chose*] aussi admirable.

_____

**c)** Une [*chose*] identique lui est arrivée durant son voyage.

_____

**d)** Dans ce théâtre, on a assisté à une [*chose*] très comique.

_____

**e)** La faillite est la seule [*chose*] qui lui reste après avoir perdu tous ses biens à la Bourse.

_____

**f)** Aucune [*chose*] n'arrête cet homme ambitieux.

_____

3. **Dans les phrases suivantes, remplacez les termes *hommes, gens* ou *personne(s)* par un mot plus précis.**

> **EXEMPLE**
>
> *Cette erreur imperceptible n'a pas échappé à un **homme** clairvoyant.*
> *Cette erreur imperceptible n'a pas échappé à un **œil** clairvoyant.*

**a)** Ces dessins sont l'œuvre d'une [*personne*] habile.

_____

**b)** Le sport rend les [*personnes*] très agiles.

_____

**c)** Ne perdez pas courage devant ces [*hommes*] sinistres.

_____

**d)** Il ne tolère pas ces [*gens*] intraitables.

_____

**e)** Pour transporter ces meubles, il faut des [*gens*] robustes.

_____

**f)** Ces médisances révèlent une [*personne*] perfide.

_____

## 4. Regardez attentivement les mots suivants et dites que marquent les suffixes.

> Fille, fill**ette** : **-ette** est un suffixe diminutif.

**a)** camionn**ette**

_____

**b)** jardin**et**

_____

**c)** naviga**tion**

_____

**d)** emball**age**

_____

**e)** nettoy**age**

_____

**f)** opéra**tion**

_____

**g)** chauff**ard**

_____

**h)** statu**ette**

_____

**i)** vant**ard**

_____

**j)** roul**ette**

_____

# RÉCAPITULATION CHAPITRE 5

Le dernier chapitre de ce cahier vous permet de mettre en pratique les connaissances acquises dans les chapitres précédents. Vous aurez donc l'occasion de lire un texte, de le résumer, puis de rédiger des paragraphes en suivant les étapes déjà présentées.

La dernière compétence à développer consiste à rédiger un texte de 500 mots. Il s'agit de résumer l'extrait à l'étude en une centaine de mots, puis de rédiger deux paragraphes comportant au moins 200 mots chacun. Ce travail permet de vérifier la compréhension de texte et la rédaction selon la structure établie tout en tenant compte de la qualité de la langue.

## ◎ TEXTE À L'ÉTUDE ◎

Gabrielle Roy (1909-1983) est originaire du Manitoba où elle a travaillé comme institutrice pendant huit ans. Après un séjour en Europe, elle s'installe au Québec. Dans ses romans, Gabrielle Roy s'intéresse particulièrement aux personnages humbles et modestes. Elle a remporté plusieurs prix dont le prix Fémina en 1947 pour *Bonheur d'occasion* et le Prix du Gouverneur général du Canada en 1978 pour *Ces enfants de ma vie*. Elle s'est inspirée de ses propres expériences pour écrire ce roman d'où est tiré « Vincento ».

### Vincento

▸ Annotations

En repassant, comme il m'arrive souvent, ces temps-ci, par mes années de jeune institutrice, dans une école de garçons, en ville, je revis, toujours aussi chargé d'émotion, le matin de la rentrée. J'avais la classe des tout-petits. C'était leur
5 premier pas dans un monde inconnu. À la peur qu'ils en avaient tous plus ou moins, s'ajoutait, chez quelques-uns de mes petits immigrants, le désarroi, en y arrivant, de s'entendre parler dans une langue qui leur était étrangère. [...]

Un peu plus tard, trente-cinq enfants inscrits et à peu près
10 tranquillisés, je commençais à respirer, je me prenais à espérer la fin du cauchemar, pensant, maintenant j'ai dépassé le plus noir. Je voyais de petits visages sur lesquels j'étais encore en peine de mettre un nom m'adresser un premier sourire furtif ou, en passant, une caresse du regard. Je me disais : Nous allons
15 vers l'amitié... lorsque, soudain, du corridor, nous parvint un autre cri de douleur. Ma classe que j'avais cru gagnée à la confiance frémit en entier, lèvres tremblantes, regards fixés sur le seuil. Alors parut un jeune père auquel était accroché un petit

_____

_____

_____

_____

_____

_____

_____

_____

_____

_____

_____

_____

_____

_____

_____

_____

_____

_____

_____

_____

_____

_____

_____

_____

_____

_____

_____

_____

_____

_____

garçon, son image si vivante, aux mêmes yeux sombres et
20 désolés, à l'air souffreteux, qu'on aurait pu avoir envie de
sourire si ces deux-là n'eussent exprimé, l'un autant que
l'autre, la douleur de la séparation.

Le petit, cramponné à son père, levait vers lui un visage
inondé de larmes. Dans leur langue italienne, il le suppliait, à
25 ce qu'il me parut, de ne pas l'abandonner, par la grâce du ciel
de ne pas l'abandonner !

Presque aussi bouleversé, le père s'efforçait de rassurer son
petit garçon. Il lui passait la main dans les cheveux, sur
les joues, lui essuyait les yeux, le câlinait, le berçait de mots
30 tendres maintes et maintes fois répétés qui semblaient signi-
fier : « Tout ira bien... Tu verras... C'est ici une bonne école...
Benito... Benito... » insistait-il. Mais l'enfant lançait toujours
son appel désespéré : « La casa ! la casa ! » [...]

J'allai à leur rencontre avec le plus large sourire possible. À
35 mon approche l'enfant cria de frayeur et se cramponna encore
plus fortement à son père à qui il communiqua son tremble-
ment. Je vis que celui-ci n'allait pas m'être d'un grand secours.
Au contraire, par ses caresses, ses mots doux, il n'aboutissait
qu'à entretenir chez l'enfant l'espoir qu'il le ferait fléchir.

40 Et, de fait, le père se mit à plaider avec moi. Puisque le petit
était si malheureux, ne valait-il pas mieux pour cette fois le
ramener à la maison, quitte à essayer encore cet après-midi ou
le lendemain, alors qu'il aurait eu le temps de bien expliquer à
l'enfant ce qu'était l'école.

45 Je les vis suspendus à ma décision, et pris mon courage à
deux mains : « Non, quand il faut couper la branche, rien ne
donne d'attendre. »

Le père abaissa tristement les yeux, obligé de me donner raison. Il s'efforça de m'aider un peu. Même à deux nous eûmes
50 beaucoup de peine à détacher l'enfant, desserrions-nous une
main qu'aussitôt elle nous échappait pour s'agripper de nouveau aux vêtements du père. [...]

Enfin le père fut libre un instant pendant que je retenais le
petit garçon de peine et de misère. Je lui fis signe de partir au
55 plus vite. Il franchit le seuil. Je fermai la porte derrière lui. Il la
rouvrit d'un doigt pour me désigner le petit du regard en disant :

– C'est Vincento !

Je lui fis comprendre que d'autres détails pouvaient attendre,
Vincento ayant presque réussi à m'échapper. Je le rattrapai de
60 justesse et refermai la porte. Il s'y rua tout en se haussant pour
atteindre la poignée. Maintenant il ne criait ni ne pleurait,
toute son énergie appliquée à se sortir d'ici. [...]

Vincento, son sort entre ses seules mains, parut désespéré-
ment chercher un plan d'attaque, une stratégie, puis, comme
65 s'il n'y avait vraiment rien devant lui, il poussa un terrible
soupir, son courage l'abandonna, il rendit les armes. [...]

Il était grand temps de faire diversion. J'ouvris une boîte de
craies de couleur et en fis la distribution, invitant les enfants à
venir au tableau y dessiner chacun sa maison. Ceux qui
70 d'abord ne saisirent pas le sens de mes paroles, comprirent dès
qu'ils eurent vu de leurs compagnons en train d'esquisser des
carrés munis de trous pour indiquer portes et fenêtres.
Allégrement ils se mirent à en faire autant et, selon leur conception égalitaire au possible, il parut que tous habitaient à
75 peu près la même maison. [...]

J'écrivis le nom de chacun dans un ballon au-dessus des
images. Ma classe en fut enchantée. [...]

Je jetai un coup d'œil sur Vincento. Ses gémissements s'es-
paçaient. Sans se hasarder à découvrir son visage, il tâchait
80 entre ses doigts écartés de suivre ce qui se passait et qui
apparemment l'étonnait beaucoup. [...]

Je m'avançai vers lui, un bâton de craie à la main, me faisant
toute conciliante.

— Viens donc, Vincento, dessiner la maison où tu habites
85 avec ton papa et ta maman.

Ses troublants yeux de braise aux longs cils soyeux me
regardèrent en face. Je ne savais que penser de leur expression,
ni hostile ni confiante. J'avançai encore d'un pas. Soudain, il se
souleva et, en équilibre sur un pied, détendit l'autre comme
90 sous la poussée d'un ressort. Il m'atteignit en pleine jambe de
la pointe de sa bottine ferrée. Cette fois, je ne pus réprimer une
grimace. Vincento en eut l'air ravi. Quoique le dos au mur et
accroupi, il faisait front, me donnant à entendre que de lui à
moi ce ne pouvait être qu'œil pour œil, dent pour dent. [...]

95 Après le déjeuner, je revins à l'école, la mort dans l'âme.
Tout va être à recommencer, me disais-je. Ils vont revenir en
larmes, le père, l'enfant. Je vais avoir à les séparer encore une
fois, chasser l'un, combattre l'autre. Ma vie d'institutrice m'apparaissait sous un jour accablant. Je me hâtais pourtant, his-
100 toire de m'armer en prévision de la lutte à venir.

J'arrivai à un angle de l'école. Il y avait là, à quelques pieds
du sol, une fenêtre à embrasure profonde. J'y distinguai une
toute petite forme tapie dans l'ombre. Dieu du ciel, serait-ce
mon petit desperado venu m'attaquer à découvert?

105 La forme menue risqua la tête hors de sa cachette. C'était
bien Vincento. Ses yeux brillants m'enveloppèrent dans un

_____

_____

_____

_____

_____

_____

_____

_____

_____

regard d'une intensité passionnée. Qu'est-ce qu'il rumine ? Je n'eus pas le temps de penser plus loin. Il avait bondi. Il était à mes pieds comme Vendredi à ceux de son maître. Ensuite — et
110 aujourd'hui encore me paraît impossible ce qu'il accomplit — il grimpa à moi comme un chat à un arbre, s'aidant à petits coups de genoux qui m'enserrèrent les hanches, puis la taille. Parvenu au cou, il me le serra à m'étouffer. Et il se mit à me couvrir de gros baisers mouillés qui goûtaient l'ail, le ravioli, la
115 réglisse. J'en eus les joues barbouillées. J'avais beau, le souffle court, le supplier : « Allons, c'est assez, Vincento... » il me serrait avec une force incroyable chez un si petit être. Et il me déversait dans l'oreille un flot de mots en langue italienne qui me semblaient de tendresse.

Gabrielle Roy, *Ces enfants de ma vie*, Boréal Compact, 1993.
© Fonds Gabrielle Roy.

## EXERCICES SUR L'EXTRAIT DE TEXTE « VINCENTO » DE GABRIELLE ROY

**1ᵉ étape**  Le survol

**1ᵉ activité**  Vue d'ensemble (p. 3)

**2ᵉ activité**
**3ᵉ activité**  Repérage des mots difficiles et étude des mots repérés (p. 3-4)

## Comprendre un texte (chapitre 1)

1. À l'aide du dictionnaire, donnez le sens contextuel des mots ou des expressions suivantes :

a) quand il faut couper la branche, rien ne donne d'attendre (ligne 46) :

_____

_____

b) il rendit les armes (ligne 66) :

_____

c) faire diversion (ligne 67) :

_____

d) une toute petite forme tapie (ligne 103) :

_____

e) mon petit desperado (ligne 104) :

_____

f) Il était à mes pieds comme Vendredi à ceux de son maître (ligne 108) :

_____

_____

**NOTE**

Indice pour l'expression citée à la lettre f). Connaissez-vous l'histoire de Robinson Crusoé, roman de Daniel Defoe, publié pour la première fois en 1719 ?

**2.** Contexte de l'énonciation

    **a)** Où l'action se déroule-t-elle?

_____

_____

_____

    **b)** Quand l'action se déroule-t-elle?

_____

_____

_____

_____

    **c)** Qui est le narrateur?

_____

_____

    **d)** À qui le narrateur s'adresse-t-il?

_____

_____

**3.** Quelle est l'idée directrice de ce texte?

_____

_____

# Résumer un texte (chapitre 2)

**4.** Résumez le texte en une centaine de mots.

_____

_____

_____

_____

_____

_____

_____

_____

_____

_____

_____

> **4ᵉ activité** Étude du contexte de l'énonciation (p. 5)

> **5ᵉ activité** Repérage de l'idée directrice (p. 6)

> **2ᵉ étape** La lecture attentive (p. 6)

> **1ʳᵉ technique**
> **2ᵉ technique** Éléments à privilégier pour rédiger un bon résumé (p. 18)
>
> Pièges à éviter pour rédiger un bon résumé (p. 18)

_____

_____

_____

_____

_____

_____

_____

_____

_____

_____

_____

Nombre de mots _____

**3ᵉ étape** La lecture approfondie (p. 8)

**5.** Dans le texte, relevez les éléments qui prouvent que Vincento n'est pas francophone.

_____

_____

_____

_____

_____

_____

## Répondre à une question de compréhension (chapitre 3)

**1ʳᵉ étape** Comprendre la question posée (p. 30)

**6.** Comment le père de Vincento réagit-il devant l'angoisse de son fils ?

**2ᵉ étape** Trouver les éléments de réponse dans le texte (p. 30)

_____

_____

_____

_____

**3ᵉ étape** Répondre à la question posée (p. 32)

_____

_____

_____

_____

# La rédaction d'un paragraphe (chapitre 4)

## LE SUJET

Dans deux paragraphes d'au moins 200 mots chacun et à l'aide de citations tirées du texte « Vincento » de Gabrielle Roy, montrez comment évolue le comportement de Vincento et comment réagit l'institutrice le jour de la rentrée des classes.

7. Dans le sujet encadré ci-dessus :

a) Soulignez les mots clés.

b) Encadrez le verbe de la consigne.

c) Séparez chaque élément d'information par une barre oblique afin de développer tous les aspects du sujet.

**1ᵉ étape**    Comprendre le sujet de rédaction (p. 50)

8. Cherchez dans le dictionnaire le sens contextuel des mots difficiles du sujet.

_____

_____

_____

_____

_____

_____

_____

_____

_____

_____

_____

9. Répondez clairement à la question suivante : Quels sont les deux principaux aspects du sujet à développer ?

_____

_____

_____

_____

_____

_____

_____

_____

**2ᵉ étape**  Trouver les éléments de réponse dans le texte à l'étude (p. 51)

**10.** Relevez des citations qui se rattachent aux deux aspects et écrivez-les dans la colonne de gauche. Dans la colonne de droite, écrivez les idées secondaires que vous pouvez déduire de ces citations et qui permettent de développer l'idée principale du paragraphe.

| PREMIER ASPECT À DÉVELOPPER : L'ÉVOLUTION DU COMPORTEMENT DE VINCENTO LA PREMIÈRE JOURNÉE DE CLASSE | |
|---|---|
| CITATIONS POUR LE PREMIER PARAGRAPHE | IDÉES SECONDAIRES OU DÉDUCTIONS FAITES À PARTIR DES CITATIONS |
| « Le petit, cramponné à son père [...] il le suppliait [...] de ne pas l'abandonner ! » (lignes 23 à 26) | Frayeur exagérée de Vincento le premier jour de classe. |
| | |
| | |
| | |
| | |

| DEUXIÈME ASPECT À DÉVELOPPER : LA RÉACTION DE L'INSTITUTRICE AU COMPORTEMENT DE VINCENTO LE PREMIER JOUR DE CLASSE | |
|---|---|
| **CITATIONS POUR LE DEUXIÈME PARAGRAPHE** | **IDÉES SECONDAIRES OU DÉDUCTIONS FAITES À PARTIR DES CITATIONS** |
| « ... quand il faut couper la branche, rien ne donne d'attendre. » (lignes 46-47) | L'institutrice est ferme. |
| | |
| | |
| | |
| | L'institutrice est ferme. |

**3ᵉ étape** Développer
le sujet de
rédaction
(p. 53)

**11.** Dressez le plan des deux paragraphes que vous allez rédiger et vérifiez la pertinence de vos idées secondaires par rapport à l'idée principale.

## Plan des deux paragraphes

### 1ᵉʳ paragraphe

N'oubliez pas qu'il
faut au moins deux
idées secondaires
pour soutenir l'idée
principale.

| Idée principale |
|---|
| _____ |
| _____ |

**1ʳᵉ idée secondaire**

_____

_____

**2ᵉ idée secondaire**

_____

_____

Ces idées secondaires, déduites des citations, développent-elles l'idée principale ?

### 2ᵉ paragraphe

| Idée principale |
|---|
| _____ |
| _____ |

**1ʳᵉ idée secondaire**

_____

_____

**2ᵉ idée secondaire**

_____

_____

Ces idées secondaires, déduites des citations, développent-elles l'idée principale ?

**12.** Rédigez les deux paragraphes selon la structure enseignée. Dans la colonne de découpage, indiquez les différentes parties du paragraphe (voir modèle dans le chapitre 4, p. 56).

| Rédaction du 1er paragraphe | Découpage du paragraphe |
| --- | --- |
| | |

Nombre de mots _____

## Rédaction du 2ᵉ paragraphe

_____

_____

_____

_____

_____

_____

_____

_____

_____

_____

_____

_____

_____

_____

_____

_____

_____

_____

_____

_____

_____

_____

_____

_____

_____

_____

_____

## Découpage du paragraphe

_____

_____

_____

_____

_____

_____

_____

_____

_____

_____

_____

_____

_____

_____

_____

_____

_____

_____

_____

_____

_____

_____

_____

_____

Nombre de mots _____

# AUTOCORRECTION DE VOS PARAGRAPHES

## Retour sur les idées principales et les idées secondaires

|  | Oui | Non |
|---|---|---|
| 1. Dans chaque paragraphe, l'idée principale reprend-elle correctement le libellé du sujet? | ☐ | ☐ |
| 2. L'idée principale est-elle correctement formulée? | ☐ | ☐ |
| 3. Chaque idée secondaire développe-t-elle pertinemment l'idée principale à laquelle elle se rattache? | ☐ | ☐ |
| 4. Chaque idée secondaire est-elle suivie d'une ou de plusieurs citations? | ☐ | ☐ |
| 5. Chaque citation est-elle précédée ou suivie d'un commentaire ou d'une explication pertinente qui montre le lien entre l'idée secondaire et la citation? | ☐ | ☐ |

## Retour sur la présentation des citations

|  | Oui | Non |
|---|---|---|
| 1. Les citations sont-elles entre guillemets et précédées d'un deux-points si elles sont introduites? | ☐ | ☐ |
| 2. Y a-t-il une phrase ou un groupe de mots qui introduit les citations? | ☐ | ☐ |
| 3. Les citations sont-elles suivies du numéro des lignes de référence dans le texte? | ☐ | ☐ |
| 4. Les citations introduites commencent-elles par une majuscule? | ☐ | ☐ |
| 5. Les citations intégrées respectent-elles la grammaticalité de la phrase dans laquelle elles sont insérées (temps des verbes, emploi des pronoms)? | ☐ | ☐ |
| 6. Les modifications dans les citations sont-elles présentées entre crochets? | ☐ | ☐ |

## Retour sur la conclusion de chaque paragraphe

| | Oui | Non |
|---|---|---|
| 1. Y a-t-il un organisateur textuel au début de la conclusion ? | ☐ | ☐ |
| 2. L'idée principale est-elle reprise ? | ☐ | ☐ |
| 3. Y a-t-il une synthèse des idées secondaires ? | ☐ | ☐ |

## Retour sur la cohérence textuelle, le vocabulaire et la langue

| | Oui | Non |
|---|---|---|
| 1. Avez-vous vérifié qu'il n'y a aucune contradiction dans vos paragraphes ? | ☐ | ☐ |
| 2. Avez-vous utilisé des organisateurs textuels ? | ☐ | ☐ |
| 3. Avez-vous utilisé des substituts pour éviter les répétitions ? | ☐ | ☐ |
| 4. Les pronoms utilisés ont-ils un antécédent ? | ☐ | ☐ |
| 5. Avez-vous remplacé les expressions « fourre-tout » par des mots précis ? | ☐ | ☐ |
| 6. Avez-vous vérifié la structure de vos phrases ? | ☐ | ☐ |
| 7. Avez-vous vérifié l'orthographe d'usage et l'orthographe grammaticale ? | ☐ | ☐ |

# LES ORGANISATEURS TEXTUELS

Lorsqu'on formule une réponse à une question de compréhension ou qu'on rédige un paragraphe, il faut généralement utiliser des organisateurs textuels et des marqueurs de relation. Les organisateurs textuels sont des mots, des groupes de mots ou des phrases qui structurent le texte en assurant la transition entre ses différentes parties (dans un paragraphe ou dans l'ensemble du texte). Quant aux marqueurs de relation, ils assurent le lien entre les groupes de mots et les phrases syntaxiques en indiquant le rapport de sens qui les unit ; dans la phrase, ils ont généralement la fonction de coordonnant ou de subordonnant. Dans le présent ouvrage, nous nous limitons aux organisateurs textuels qui servent à soutenir la cohérence d'un texte. Notez que certains termes peuvent servir d'organisateurs textuels ou de marqueurs de relation selon qu'ils structurent le texte, ou qu'ils établissent des rapports de sens entre des phrases ou des groupes de mots. Pour choisir l'organisateur approprié, il faut connaître sa valeur, c'est-à-dire sa signification, de façon à rendre compte du sens de la transition qu'on veut établir dans le texte. Les organisateurs textuels sont souvent placés en tête de phrase ou en début de paragraphe.

**Tableau 1**  **Les organisateurs le plus souvent utilisés pour formuler une réponse à une question de compréhension ou pour rédiger un paragraphe.**

| EXPLICATION OU ARGUMENTATION | REFORMULATION | ILLUSTRATION | CONCLUSION (SYNTHÈSE) |
|---|---|---|---|
| ainsi | autrement dit | ainsi | bref |
| à savoir | bref | notamment | donc |
| autrement dit | en d'autres termes | par exemple | en conclusion |
| c'est-à-dire | | prenons le cas de | en définitive |
| d'ailleurs | | | enfin |
| du reste | | | en fin de compte |
| en d'autres mots | | | en résumé |
| en effet | | | en somme |
| notamment | | | finalement |
| soit | | | pour conclure |
| | | | pour terminer |
| | | | pour tout dire |
| | | | somme toute |

**Tableau 2** **Les principaux organisateurs qui indiquent le temps, le lieu ou l'ordre des énoncés dans la structure d'un texte.**

| TEMPS | ESPACE (LIEU) | SUCCESSION (SÉRIE) |
|---|---|---|
| alors | à côté | à cela s'ajoute |
| antérieurement | à l'opposé | au préalable |
| après (quoi) | ci-dessous | au premier abord |
| au même moment | ci-dessus | aussi |
| avant cela | de l'autre côté | avant tout |
| avant toute chose | derrière | d'abord |
| bientôt | devant | dans un premier temps |
| d'abord | en face | d'emblée |
| depuis | en haut | de même |
| dès l'instant où | plus loin | de plus |
| désormais | | de surcroît |
| en même temps que | | deuxièmement |
| ensuite | | d'un autre côté |
| maintenant | | d'une part... d'autre part |
| par la suite | | également |
| pendant ce temps | | enfin |
| plus tard | | en outre |
| plus tôt | | en premier lieu |
| puis (et puis) | | ensuite |
| simultanément | | en terminant |
| tantôt... tantôt | | et ce n'est pas tout |
| | | et puis |
| | | il en va de même |
| | | il y a mieux encore |
| | | par ailleurs |
| | | pour commencer |
| | | pour terminer |
| | | premièrement |

| ARGUMENTATION | EXPLICATION (JUSTIFICATION OU CAUSE) | CONSÉQUENCE ET CONCLUSION |
|---|---|---|
| à l'opposé | à cause de | à ce point que |
| à plus forte raison | à défaut de | ainsi |
| au contraire | à force de | alors |
| cependant | ainsi | au point que |
| c'est ainsi que | aussi | aussi |
| d'ailleurs | autrement dit | bref |
| donc | car | c'est ainsi que |
| en revanche | c'est-à-dire | c'est pourquoi |
| il est faux de dire que | en d'autres mots (termes) | de ce fait |
| mais | en effet | de sorte que |
| nonobstant | en fait | donc |
| or | en raison de | d'où |
| par ailleurs | en un mot | en conclusion |
| par contre | étant donné que | en conséquence |
| pourtant | faute de | en fin de compte |
| quand bien même | grâce à | en somme |
| | on comprend alors que | en sorte que |
| | parce que | finalement |
| | par le fait que | par conséquent |
| | pour tout dire | pour cette raison |
| | puisque | pour tout dire |
| | sous l'effet de | pour toutes ces raisons |
| | sous prétexte que | somme toute |
| | vu que | tout bien considéré |
| | | tout compte fait |
| | | voilà pourquoi |

| RESTRICTION ET OPPOSITION | ADDITION | CONDITION ET HYPOTHÈSE |
|---|---|---|
| à l'exception de | à cela s'ajoute | à la condition de |
| bien que | à plus forte raison | à supposer que |
| cependant | aussi | du moment que |
| de toute manière | d'ailleurs | pour autant que |
| du moins | d'autre part | pourvu que |
| en dépit de | de même | si |
| en revanche | de plus | |
| excepté | de surcroît | |
| hormis | du reste | |
| mais | en outre | |
| malgré | en particulier | |
| même si | et même | |
| néanmoins | et qui plus est | |
| nonobstant | mieux encore | |
| par contre | par ailleurs | |
| quant à | voire | |
| quoique | | |
| quoi qu'il en soit | | |
| toujours est-il | | |
| toutefois | | |
| sans | | |
| sans doute | | |
| sauf | | |
| seulement | | |
| si… que | | |

| BUT OU MOYEN POUR ARRIVER À UN BUT | ALTERNATIVE | COMPARAISON |
|---|---|---|
| à cet effet | de deux choses l'une | ainsi que |
| à cette fin | d'une part… d'autre part | à l'inverse |
| afin de | l'un ou l'autre | à l'opposé |
| afin que | ou… ou… | au contraire |
| dans le but de | soit… soit… | autant… autant |
| dans l'intention de | | autant que |
| de crainte que | | autrement que |
| de peur que | | bien que |
| en vue de | | comme |
| pour (que) | | contrairement à |
| | | de la même façon |
| | | de même que |
| | | différemment de |
| | | également |
| | | en comparaison de |
| | | inversement |
| | | moins |
| | | plus |
| | | similairement |

**Annotation** : ajout de notes et de commentaires sur un texte.

**Antonyme** : mot dont le sens est contraire au sens d'un autre.

**Argument** : idée secondaire déduite des citations et des exemples, qui appuie l'idée principale ou l'aspect à développer.

**Champ lexical** : ensemble de mots se rattachant à une même idée.

**Citation** : phrase ou segment de phrase tirés d'un texte.

**Citation intégrée** : phrase ou segment de phrase tirés d'un texte, qu'on intègre dans une autre phrase en respectant la syntaxe.

**Citation introduite** : phrase ou segment de phrase tirés d'un texte, qui fait suite à une phrase qui l'introduit. Cette citation est habituellement précédée d'un deux-points ; elle est mise entre guillemets et commence par une majuscule.

**Classe grammaticale** : ensemble de mots qui ont les mêmes caractéristiques grammaticales.

**Cohérence textuelle** : logique d'un texte, assurée par la reprise et la progression de l'information, et par les organisateurs textuels.

**Commentaire** : suite de mots ou de phrases qui établit un lien entre la citation et l'idée secondaire.

**Conclusion** : synthèse des idées secondaires et rappel de l'idée principale.

**Contexte d'énonciation** : ensemble des éléments qui désignent l'émetteur et le récepteur du message, et qui situent le texte par rapport au temps et au lieu de la communication.

**Crochets [...]** : signe de ponctuation qui indique toute partie retranchée ou modifiée dans une citation.

**Élément d'information** : suite de mots qui constitue une unité d'information.

**Groupe adverbial** : groupe de mots dont le noyau est un adverbe.

**Groupe nominal** : groupe de mots dont le noyau est un nom.

**Guillemets « ... »** : petits chevrons qui encadrent la citation.

**Idée directrice** : propos d'un texte ; l'idée directrice est aussi appelée fil conducteur ou idée maîtresse.

**Idée principale** : aspect à développer dans une réponse à une question de compréhension ou dans un paragraphe ; l'idée principale présente le cœur du sujet.

**Idée secondaire** : idée qui développe l'idée principale.

**Idées essentielles** : éléments importants d'un texte, qui peuvent comprendre les mots et les expressions clés du texte.

**Lecture approfondie** : lecture qui permet de repérer des éléments du contenu d'un texte ou de percevoir les subtilités d'un texte.

**Lecture attentive** : lecture qui permet de bien comprendre un texte.

**Libellé du sujet** : énoncé des aspects à développer dans un paragraphe ou un texte.

**Marqueur de relation** : coordonnant ou subordonnant qui établit des liens logiques, spatiaux et temporels entre les phrases.

**Mot « passe-partout »** : mot qui convient à différents contextes et qui manque de nuance.

**Mots et expressions clés** : mots et expressions qui expriment les idées importantes du texte.

**Narrateur** : émetteur du message, celui ou celle qui raconte l'histoire.

**Organisateur textuel** : mot, groupe de mots ou phrase qui délimitent les parties d'un texte.

**Paragraphe** : texte compris entre deux alinéas, qui comporte une idée principale développée par des idées secondaires illustrées et commentées, et qui se termine par une conclusion.

**Parenthèses (...)** : signe de ponctuation qui encadre une information accessoire.

**Périphrase** : suite de mots qui désigne une réalité pouvant aussi s'exprimer en un seul mot.

**Préfixe** : élément ajouté au début d'un mot de base pour former un nouveau mot.

**Préposition** : mot invariable, simple ou complexe, qui introduit un complément ; la préposition peut exprimer un rapport de sens, comme le temps, le lieu, le but, la cause, etc. (*jusqu'à, à* côté de, pour, grâce à, etc.) ou être vide de sens (*à, de*, etc.).

**Pronom** : mot qui remplace un mot ou un groupe de mots appelé antécédent.

**Récepteur** : celui qui reçoit le message de l'émetteur.

**Référence** : ligne où se trouve la citation dans le texte dont elle est tirée.

**Reprise de l'information** : reprise, dans des termes différents, d'éléments d'information présentés dans un texte.

**Résumé** : paragraphe dans lequel on reprend, de manière concise et dans ses propres mots, les idées essentielles d'un texte.

**Sens contextuel** : sens d'un mot en fonction du texte dans lequel il est employé.

**Substitut** : mot ou groupe de mots qui remplace un mot déjà mentionné dans le texte.

**Suffixe** : élément ajouté à la fin d'un mot de base pour former un nouveau mot.

**Survol** : lecture rapide qui permet de prendre connaissance d'un texte de façon superficielle.

**Synonyme** : mot qui a le même sens qu'un autre.

BEAUDOIN, Pauline, et Lucie FORGET. *Le récit de fiction, 15 textes à découvrir*, Québec, Les Éditions La Lignée inc., 1993, 231 p.

CENTRE DE COMMUNICATION ÉCRITE, Université de Montréal, *Pour guider son lecteur d'une main sûre : les marqueurs de relation et les organisateurs textuels*, [En ligne], [http://www.cce.umontreal.ca/auto/marqueurs.htm] (30 janvier 2006).

CHARTRAND, Suzanne-G, et autres. *Grammaire pédagogique du français d'aujourd'hui*, Québec, Les publications Graficor, 1999, 397 p.

*Dictionnaire CEC intermédiaire, dictionnaire pédagogique*, 3e édition, Anjou, Les Éditions CEC inc., 1999, 2064 p.

MAISONNEUVE, Huguette. *VADE-MECUM de la nouvelle grammaire*, Montréal, CCDMD, 2003, 87 p.

QUÉBEC, MINISTÈRE DE L'ÉDUCATION, DU LOISIR ET DU SPORT, Direction de la formation générale des jeunes, *Grammaire de la phrase et grammaire du texte*, Programmes de français du primaire et du secondaire, Montréal, Éditeur officiel, 1997, 89 p.